VILHELM HELANDER SIMO RISTA

SUOMALAINEN RAKENNUSTAIDE

MODERN ARCHITECTURE IN FINLAND

KIRJAYHTYMÄ HELSINKI

S I S Ä L L Y S

C O N T E N T S

1

Suomalaisen ympäristön juuret

Suomalainen arkkitehtuuri ja muotoilu ovat käsitteitä, joista on tehty lähes myyttejä. Suomi on nähty uuden arkkitehtuurin luvattuna maana. Kieltämättä Suomessa on ollut merkittäviä yksittäisiä arkkitehtejä, Eliel Saarinen ja Alvar Aalto, ja nykyisin toimivista arkkitehdeistä tunnetaan Reima Pietilä. Heidän työnsä on luonut suomalaisen arkkitehtuurin tietyn maailmanmaineen. Jos katsotaan, miten maata yleisesti on rakennettu, miltä Suomi näyttää, vaikutelma on ristiriitaisempi. Ainakin kuva Suomesta uuden arkkitehtuurin edelläkävijämaana näyttää helposti liioitellulta. Suomen rakennettu ympäristö kertoo paremminkin maasta, joka on voimakkaan murroksen alaisena. Näinhän on yleensä muuallakin, missä on rakennettu paljon uutta.

On kuitenkin perusteita väittää, että vain muutamassa Euroopan maassa 1900-luvun arkkitehtuuri on vaikuttanut yhtä vahvasti rakennettuun ympäristöön kuin Suomessa. Ensinnäkin Suomi rakennustensa osalta on aivan kouriintuntuvasti uusi maa. Vanhoja rakennuksia on säilynyt sentään yli 700 vuoden ajalta, mutta niitä on vähän. Kun monissa Keski- ja Etelä-Euroopan maissa suurin osa väestöstä asuu satojakin vuosia vanhoissa taloissa, Suomessa vain vähemmän kuin joka kahdeksas rakennus on rakennettu ennen 1910-luvun loppua, siis ennen itsenäisyyden aikaa.

Suomessa myös 1900-luvun keskeiset kansainväliset uudistuspyrkimykset ovat saaneet poikkeuksellisen vankan sijan. Kansainvälinen 1900-luvun alkupuolen arkkitehtuurin uudistusliike, joka 1920- ja 30-luvulla kiteytyi ns. funktionalismiksi, ei tähdännyt ainoastaan juuriin menevään arkkitehtonisen muodon ja ilmaisun uudistukseen, vaan sillä oli myös tietoisesti sosiaalinen sisältönsä. Suomi ja muut Pohjoismaat – samoin kuin jotkut Keski-Euroopan maat, kuten Hollanti – ovat maita, joissa nuo pyrkimykset ovat saaneet vaikuttaa jokseenkin katkeamatta ja laajalla rintamalla. Monessa muussa maassa, ennen muita uudistuksen edelläkävijämaissa Saksassa ja Neuvostoliitossa, lupaavasti alkanut kehitys katkaistiin poliittisesti. Toisissa maissa uusi arkkitehtuuri ei taas saanut kovin laajasti jalansijaa, vaan se jäi taiteita suosivan varakkaan yläluokan yhdeksi muotityyliksi. Kun "kansainvälinen tyyli" lopulta laajemmin levisi anglosaksisissa maissa, se omaksuttiinkin kovapintaisen suurliikemaailman ulkokuoreksi. Uuden arkkitehtuurin taustat poikkeavat toisistaan eri maissa, se on syytä muistaa nyt, kun eletään arkkitehtuurin sinänsä välttämättömän uudelleen arvioinnin aikaa.

Arkkitehtuuri on musiikin ja taideteollisuuden rinnalla tuonut itsenäisen ja voimakkaan panoksen 1900-luvun suomalaiseen kulttuuriin. Vaikka välimatka tavalliseen ympäristöön onkin pitkä, on uuden arkkitehtuurin pyrkimyksillä ollut tärkeä, pääasiassa kehittävä vaikutuksensa suomalaisten jokapäiväiseen ympäristöön. Vain jotkut arkkitehdit ovat saavuttaneet kansainvälistä mainetta, mutta he eivät kuitenkaan ole yksinäisiä poikkeuksia ammattikuntansa joukossa. Pikemminkin he ovat olleet mukana yleisessä kehityksessä vain muita paremmin tunnettuina tekijöinä. Suomessa, samoin kuin muissa Pohjoismaissa, voidaan 1900-luvun arkkitehtuurissa kaikkine muutoksineenkin nähdä yhtenäinen kantava kehityslinja.

Origins of the Finnish environment.

Finnish architecture and design are terms that have acquired a quasi-mythological aura. Finland has been hailed as the promised land of modern architecture. Undeniably, Finland has had notable individual architects such as Eliel Saarinen, Alvar Aalto, and now Reima Pietilä, through whom Finnish architecture has achieved its worldwide reputation. If we examine how Finland is built as a whole, however, the impression is conflicting. At least the image of Finland as a pioneer in modern architecture seems grossly exaggerated. Construction in Finland tells rather of a country undergoing a period of vigorous change. This is the case where ever many new buildings have gone up in a short time.

However, there is a strong case for saying that in few European countries has 20th century architecture left its mark on the landscape as strongly as it has in Finland. First, Finland is a new country quite concretely – its buildings are new. Older buildings have been preserved from the past 700 years, but they are few. Whereas in many countries in central and southern Europe large numbers of people live in houses even centuries old, in Finland fewer than every eighth building was built before the late 1910s, i.e. before Finland became independent.

The main international reform trends of the present century have had an exceptionally marked impact on Finland. The reform movement at the beginning of the century that crystallized into Functionalism in the 1920s and '30s aimed not only at a thorough renovation of architectural forms and expression; it also had a consciously social content. Finland, together with the other Nordic countries (as well as some countries on the Continent such as the Netherlands), is one of the few countries where those aspirations have been allowed to have an overall and uninterrupted effect. In many other countries, above all in the pioneer lands of reform – Germany and the Soviet Union – the promising development was politically curtailed, and in yet others the new style never gained a foothold and remained a fad of the art-promoting prosperous upper class. When the International Style finally made its way into the Anglo-Saxon world, it was adopted as a facade for tough big business. That the new style of architecture has different backgrounds in different countries is worth remembering now that we are living in an age of necessary architectural reassessment.

Throughout this century, architecture along with music and the applied arts, has brought an independent and strong contribution to Finnish culture. Although widely separated from the large-scale environment, the aims of modern architecture have had an important, mainly enhancing, influence on the everyday environment of Finns. Only few architects have attained world fame, but that does not mean they are individual exceptions in their profession; rather they have been involved in universal trends as participants better known than others. In Finland, as in the other Nordic countries, despite all the changes, a coherent line of development can be seen in 20th century architecture.

In the built environment visible ties with the past are

Rakennetussa ympäristössä näkyvät siteet menneisyyteen ovat Suomessa ohuet. Näin on jo Tanskaan ja Ruotsiinkin, saati sitten Keski- ja Etelä-Eurooppaan verrattuna. Arkkitehtuurin historian monumentteja on vähän, kaupungit ovat olleet harvassa ja vähäpätöisiä, ja teollisuuden nousukausikin on tullut myöhään. Suurin osa Suomen rakentamisesta on ollut vaatimatonta ja silti omalla tavallaan arvokasta kansanarkkitehtuuria. Kuten kaikkialla, missä voidaan puhua kansanrakentamisesta, se on kuitenkin haavoittuvaa ja yhteiskunnan murroksissa helpoimmin väistyvää.

Jos tarkastellaan Suomen vanhaa arkkitehtuuria keskiajalta aina 1800-luvun alkupuolelle, silmiinpistävimpiä yhteisiä piirteitä ovat yksinkertaisuus ja selkeys, runsaiden koristemuotojen puuttuminen ja suoranainen askeettisuus. Tällä arkkitehtuurilla on kieltämättä oma vahva luonteensa, ja se voi vaikuttaa hyvinkin omintakeiselta. Kuitenkin tilatyypit ja muodot periytyvät Euroopan suurista kulttuurikeskuksista. Vaikutteet ovat vain heijastuneet hitaasti ja usein vaikeasti tunnistettavina tänne Euroopan syrjäiseen kolkkaan. Ennen uusklassisuuden läpimurtoa 1700-luvun lopulla länsimaisen rakennustaiteen suurten tyylikausien nimityksiä, romaniikkaa, gotiikkaa, renessanssia ja barokkia, voidaan soveltaa vain hyvin suurpiirteisesti ja ylimalkaisesti Suomen rakennustaiteeseen.

Aineellisten voimavarojen niukkuus, paikalliset rakennusaineet sekä karu ilmasto ovat pakottaneet muotojen pelkistykseen. Juuri selkeys ja sopeutuminen luonnonoloihin sekä saatavissa oleviin rakennusaineisiin tekevät Suomen rakennustaiteesta omalaatuisen ja ne kuuluvat myös sen parhaisiin perinteisiin.

Kansainvälisen ja paikallisen vuorovaikutus, se miten keskeisistä kulttuurimaista saadut vaikutteet on omaksuttu ja myös miten muualla jo muutosten mukana pois kuluneita kulttuuripiirteitä on voinut pitkään säilyä elävänä syrjäisessä maassa, tekee vanhasta suomalaisesta rakennustaiteesta kansainvälisestikin katsoen mielenkiintoisen. Suomen vanha rakennustaide on hyvässä mielessä provinsiaalista.

Voidaan kysyä, onko Suomen arkkitehtuurissa ylipäänsä pitkää katkeamatonta perinnettä. Tyypillistä on, että monet rakennuskulttuurin vaiheet ovat hävityksen tai myöhempien muutosten myötä kadonneet lähes tyystin tai jättäneet vain vähäisiä jälkiä. Yhtenä syynä on tietysti se, että valtaosa kaikista rakennuksista on ollut puuta. Kuitenkin juuri tässä, rakennustavassa, piilee Suomen vanhan rakennustaiteen tärkein yhdistävä tekijä ja yhtenäinen perinne. Suomessa ehkä tuhat vuotta käytössä ollut hirsirakennusten lamasalvostekniikka on ollut pohjoisen havumetsävyöhykkeen yleinen rakennustapa. Suomi kuuluu niihin maihin, joissa lamasalvosrakentaminen on säilynyt pitkään. Vielä 1930-luvulle asti rakennettiin kaupungeissakin puutalot yleensä hirrestä, vaikka rakennukset saivatkin lähinnä 1700-luvulla yleistyneen tavan mukaan kivirakennuksia jäljittelevän lautaverhouksen.

Munankilahden kylä. Louis Sparren laveeraus Karjalan retkeltä 1892.

Munankilahti village, wash drawing by Louis Sparre from his trip to Karelia, 1892.

rare in Finland, even compared with Denmark and Sweden, let alone central and southern Europe. There are few monuments of architectural history; cities have been rare and insignificant, and the industrial revolution arrived rather late. Mostly, Finland has been built on a modest, yet ethnologically valuable, scale. Vernacular building here, in common with wherever it has been documented, is vulnerable and readily displaced in social changes.

If we examine old Finnish architecture from the Middle Ages to the early years of the 19th century, we notice certain distinctive common features: simplicity and lucidity, an absence of elaborate ornamentation and a tendency towards asceticism. This architecture undeniably has its own strong character, and it can seem very original indeed. However, the spatial types and froms have been inherited from the cultural centres of Europe. It is just that the influences have been slow to permeate this remote corner of Europe, and have often been transformed in the process. Before the breakthrough of Neoclassicism in the late 18th century, the labels of the great periods of Western architecture - Romanesque, Gothic, Renaissance and Baroque - can only loosely and generally be applied to Finnish architecture.

Local building materials, the harsh climate and the scarcity of material resources have enforced a simplifying of forms. It is the very lucidity and adaptation to the climate and the materials available that set Finnish architecture apart and that are part of its best tradition.

The interaction of the international and the local, the assimilation of influences from major cultural centres and the preservation of traits already thrust into extinction elsewhere by progress make old Finnish architecture interesting, even from a global perspective. Old Finnish architecture is provincial in a positive sense.

We may ask whether Finnish architecture has any kind of long, unbroken tradition. Many stages of building culture have now disappeared, either largely or completely as a result of destruction or later changes. One reason for this is of course that most of the buildings have been built of wood. Nevertheless, it is this method of construction that contains the most important common characteristic and unifying tradition in old Finnish architecture. The log construction technique used in Finland for maybe 1000 years has been widely used for building throughout the northern coniferous forest zone, and Finland is one of the countries where this technique has been used until fairly recently. Up to the 1930s, wooden houses were even built of logs in towns, although they were

Talo Andkilin kylässä Vöyrissä, mitattu juuri ennen tiheästi rakennetun kylän purkamista v. 1962.

House, Andkil village in Vöyri, measured just before the demolition of this densely populated village, 1962.

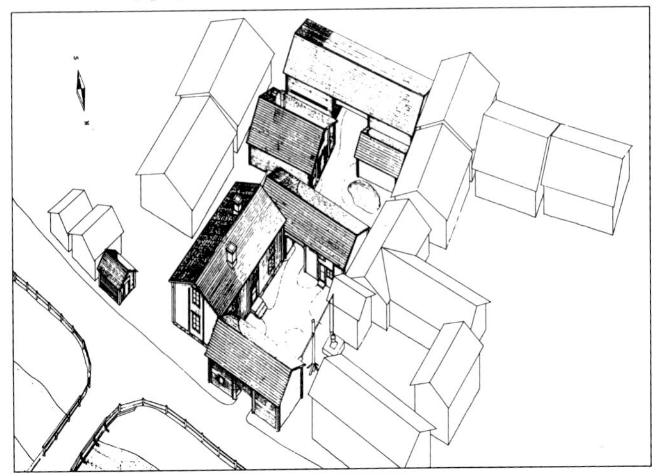

Lamasalvostekniikka on osaltaan suosinut selkeitä rakennuskappaleita. Hirren pituus on antanut rakennusryhmille yhtenäisen perusmittakaavan. Vaikka hirsirakennukset ovat yksinkertaisia noppamaisia rakennuskappaleita, rakennukset on maalaistaloissa tai kaupunkitonteillakin ryhmitelty rikkaaksi vaihteleväksi kokonaisuudeksi. Eri tarpeita palvelevat taloyksiköt asettuvat kokoavan pihan ympärille, oli sitten kysymys säännönmukaisesta umpikartanosta tai vapaasta, vanhinta muotoa edustavasta ja ilmeeltään usein jotenkin arkaaisesta taloryhmästä.

Lamasalvosrakentaminen, vuoliaiskatto sekä Suomen vanhalle rakennustaiteelle luonteenomainen, laakea kattokulma ja tavallisimmin satulakatto kuuluvat yhteen. Jyrkkä goottilainen katto kotiutui Suomessa yleensä vain kirkkoihin, jotka siten ovat olleet sitäkin hallitsevampia kyläkuvassa. Myöhemmin kartanoihin ja tärkeisiin kaupunkitaloihin rakennettiin jyrkkiä kattoja, esimerkiksi 1700-luvun rokokoon vaikutuksesta taitekattoja, kunnes uusklassisuuden mukana loiva katto ja selkeät rakennuskappaleet taas tulivat Suomenkin arkkitehtuurin hallitseviksi ihanteiksi. Loivien kattojen ansiosta suomalainen kylä- ja kaupunkikuva etäisesti muistuttavat antiikin perinteestä ja välimerenmaiden kaupunkikuvasta.

Varhaisimmat koettavissa olevat rakennusmuistomerkit ovat Suomen noin 75 keskiaikaista kivikirkkoa, joista vanhimmat ovat peräisin 1200-luvulta. Ne ovat kulttuurimaiseman ja asutuksen tärkeimpiä kiintopisteitä, maalaiskirkkoja, joista jotkut lukeutuvat lajissaan Euroopan suurimpiin. Suurpiirteisen, kiteytyneen ulkohahmon vastapainona on usein rikas sisätila, kaksi- tai kolmilaivainen hallitila, johon kuuluvat myöhäisgoottilaiset tähtiholvit ainakin keskilaivassa sekä kalkkimaalaukset. Ainoa katedraali ja monien rakennusvaiheittensa jälkeen myös ainoa basilika on Turun tuomiokirkko, yksi Itämeren piirin suurista tiilikirkoista. Tiiltä käytettiin yleisesti jo 1200-luvulta lähtien, mutta enimmäkseen vain holvauksissa ja yksityiskohdissa, kun seinät muurattiin raskaasti työstettävästä harmaakivestä. Suomalainen kivikirkko poikkeaa siten mannermaisista vastineistaan, joissa yleensä koristeelliset yksityiskohdat on veistetty luonnonkivestä.

Linnoihin ja linnoituksiin uhratut voimavarat todistavat Suomen asemasta rajamaana. Kuudesta tärkeästä keskiaikaisesta linnasta kolmen suurimman ja parhaiten säilyneen eli Turun-, Hämeen- ja Olavinlinnan restauroinnit ovat olleet toisen maailmansodan jälkeen Suomen laajimmat entistämistyöt. Keskiaikana linnojen sisätilat olivat laajasti holvattuja. Linnojen holvaukset on kuitenkin suurimmaksi osaksi jouduttu rekonstruoimaan, koska vanhoista holveista on säilynyt vain rippeitä. Aikoinaan nämä suuret kivitalot ja niihin kuuluneet korkeiden rakennussiipien kehystämät linnanpihat ovat olleet sitäkin merkittävämpiä keskuksia, kun maassa ei muuten käytännöllisesti katsoen ole ollut maallista valtaa palvelevia kivitaloja tai kivikaupunkeja.

Nuo kolme linnaa rakennutti valtiovalta. Feodaalilaitos ei koskaan kehittynyt tärkeäksi syrjäisessä Suomessa, eikä myöskään yksityinen linna- tai kartanoarkkitehtuuri ole ollut kovin merkittävässä asemassa. Ruotsin suurvaltakauden loistokehityksestäkin 1600-luvulla vain hyvin vähän siunaantui Suomen maaperälle. Tärkeimmät poikkeukset olivat myöhäisrenessanssin rakennusmuotoja heijastavat Louhisaaren ja Sarvilahden kartanot. Säätyläisten kartanot ovat kuitenkin myös seuraavalla vuosisadalla suorimmin vastaanottaneet ja välittäneet kansainvälisiä vaikutteita.

Linnoitukset olivat 1700-luvulla Suomen laajimpia rakennustehtäviä. Vuosisadan alkupuolella alettiin itärajan tuntumaan rakentaa Haminan linnoituskaupunkia. Renessanssin ihannekaupunkimallien tapaan kahdeksankulmaista kaupunkia ja sen säteittäin keskustasta lähtevää katuverkostoa ympäröivät säännölliset bastioniketjut. Kun itäraja jälleen siirtyi,

usually covered with boarding in imitation of stone facades, a practice that evolved in the 18th century. The log construction technique has given preference to clear-cut building forms. The length of a log has given groups of buildings a uniform basic scale.

Simple, cube-like structures, log buildings may be, but in the farm or town plot the buildings are grouped as a rich and diverse whole. Houses for different functions are grouped around a central yard, be it the more inflexible, regular enclosed courtyard or the freer, more open and often somehow archaic house group of the older type. Hand in hand with log construction goes the wood rafter roof, and with it another characteristic of old Finnish architecture: the gable roof with an obtuse angle. The steep Gothic roof found its way into Finland mostly only in churches, which were thus even more dominating in a village. Later, manors and important town houses featured steeper roofs, for example mansard roofs under the influence of Rococo in the 18th century, until with the advent of Neoclassicism, the gently sloping roof and clearly defined building units again became ideals of Finnish architecture. With its gently sloping roofs, a Finnish village or town carries distant echoes of the Antique tradition and the Mediterranean skyline.

The oldest extant architectural monuments in Finland are the stone churches, about 75 in number, the oldest of which date from the 13th century. They are the main focal points of the rural scene and some of them are among the largest of their kind in Europe. In contrast to the imposing, orderly exterior, the interior is often rich, having two or three aisles decorated with murals and late Gothic rib vaulting, at least in the centre aisle. The only cathedral, and, after its many building stages, the only basilica, was the Cathedral of Turku, one of the great brick churches of the Baltic area. Brick was used widely from the 13th century, but mostly only for vaulting and details, whereas the walls were constructed of grey granite, wihich was laborious to work. Thus, the Finnish stone church differs from its Continental counterpart, where decorative details are usually in natural stone.

The resources invested in castles and fortifications testify to Finland's position as a border land. Of the six important Medieval castles, the three biggest and best preserved – Turku, Hämeenlinna and Olavinlinna – have been the sites of the most extensive reconstruction operations in Finland since the Second World War. The Medieval castles were typically vaulted; however, most of the vaulting had to be rebuilt, since only remnants of the original vaults were preserved. In their day these large stone houses and their courtyards encircled by high walls were singularly notable centres, considering that practically no other secular stone houses or stone towns existed in the land.

Those three castles were built by the state. The feudal system never developed to any degree of importance in this remote land, nor was private castle or manor architecture ever in a prominent position. Very little of the splendour of Sweden's period as a great power in the 17th century ever trickled through to Finland. The most striking exceptions are the manors of Louhisaari and Sarvilahti, which reflect the late Renaissance building style. The manors of the nobility were, in the next century as well, the principal recipients and transmitters of international influences.

Fortifications were the largest building operations in 18th century Finland. At the beginning of the century, the costruction of the fortified town of Hamina, near the eastern border, was begun. The town is octagonal, true to the renaissance mobel of an ideal town, and its concentrically laid streets are surrounded by an orderly string of bastions. When the eastern border shifted once more, work started towards

ryhdyttiin vuosisadan puolivälissä rakentamaan Viaporin linnoitusyhdyskuntaa Helsingin edustalle. Siitä tuli koko Ruotsin suurin rakennustyö 1700-luvulla. Kansainvälistä barokkiajan linnoitusjärjestelmää sovellettiin Augustin Ehrensvärdin johdolla yksilöllisesti ulkosaariston karuun kalliomaisemaan. Eri saarten linnoitusten ytimiksi suunniteltiin harkittuja barokkiaukioita. Nykyisessä Suomenlinnassa on säilynyt joukko Suomen huomattavimpia 1700-luvun kivitaloja. Susisaaren linnanpiha oli Suomen merkittävin aukio ennen Helsingin Senaatintoria, mutta aukio tuhoutui pahoin Krimin sodan pommituksissa 1800-luvun puolivälin jälkeen.

Keskiajan Suomi kuului katolisen kirkon kansainvälisen järjestelmän piiriin, ja säilynyt keskiajan arkkitehtuuri todistaa avoimista yhteyksistä Euroopan suuriin kulttuurikeskuksiin. Uskonpuhdistuksen jälkeisinä vuosisatoina Suomi joutui pitkään aiempaa eristetymmäksi. Silloin kuitenkin kasvoi esiin – ja suureksi osaksi Sisä-Suomen vasta asutetuilla alueilla – kenties omalaatuisin suomalaisen arkkitehtuurin ilmiö, kansanmestari-kirvesmiesten rakentamat puukirkot. Tämäkään perinne ei syntynyt muusta maailmasta eristettynä. Paremminkin oli kysymys kansainvälisten arkkitehtuurin muotojen omaperäisestä soveltamisesta paikallisiin oloihin, puurakentamiseen ja erityisesti lamasalvotekniikkaan. Koristemuodot olivat melko yksinkertaisia, mutta arkkitehtonisista tilamuodoista kehitettiin loputtomiin omintakeisia muunnelmia.

Hirsinen tukipilarirakennus on ilmeisesti jo keskiaikana syntynyt goottilaisen kivikirkon puisena sovelluksena. Keskeiskirkot, joista vanhimmat ristikirkot ovat 1600-luvulta ja rikkaimmat muunnelmat 1700-luvulta, ovat puolestaan renessanssin keskeistilaihanteen sovelluksia, kuten Lars Pettersson on osoittanut. Pohjamuodot, holvatut sisäkatot samoin kuin myös erillään seisovat tapulit ja niiden kerrostuvat kattomuodot ilmentävät renessanssin ja barokin vaikutusta.

Suomi on Euroopan läntisen ja itäisen kulttuuripiirin rajamaa. Tämä usein toistettu tosiasia näkyy myös rakennustaiteessa. Kansanrakentamisen hitaasti muuttuneet muodot ovat asutuksen mukana tai kulttuurivaikutuksina tulleet vuoroin idästä, vuoroin lännestä. Karjalaisten asutusalue idässä on ollut jatkuvasti suoranaisen bysanttilaisen kulttuurivaikutuksen alaisena, esimerkkinä karjalantalo päätyineen. Tämä talotyyppi, jonka pääasiallinen esiintymisalue on ollut Suomen rajojen ulkopuolella, oli komeimmillaan 1800-luvulla. Sellaisiin tulkintoihin, jotka korostavat itäistä vaikutusta Suomen rakennustaiteesta, ei muilta osin silti juurikaan ole aihetta. Pääasialliset vaikutteet on selvästi saatu lännestä tai suoraan etelästä. Silloinkin kun autonomian ajan suomalainen uusklassinen arkkitehtuuri sai voimakkaita suoria vaikutteita Pietarista – sehän oli Helsingin jälleenrakentamisen tärkein esikuva – venäläinen uusklassismi oli hyvin länsimaista. Kyseessä olikin yksi uusklassisen arkkitehtuurin yleisten aiheiden muunnelma.

Arkkitehtuurin uudistukset olivat aikaisemmin tulleet hitaasti Suomeen. Uusklassismin tulo kustavilaisena aikana 1700-luvun lopulla osoitti, että Suomessakin oltiin nyt ensimmäistä kertaa kansainvälisen kehityksen tuntumassa. Turussa 1800-luvun alkuvuosina aloitetun vanhan Akatemiatalon suurpiirteisyys ja sisätilojen juhlavuus oli Suomessa ennen näkemätöntä julkisen rakentamisen alalla. Vielä selvemmin tämä uudistuminen näkyi Helsingin jälleenrakentamisen yhteydessä, kun Helsingistä vuonna 1812 alettiin rakentaa uuden autonomisen suuriruhtinaskunnan edustavaa pääkaupunkia. J.A. Ehrenströmin asemakaava loi suurpiirteiset puitteet "kaupunki taideluomana"-ihanteen toteutukselle. Saksalaissyntyinen C.L. Engel suunnitteli monumentaalisen keskuksen tärkeimmät empiretyyliset rakennukset, jotka osittain toteutettiin keisarillisin varoin ja hallitsijan suojeluksessa. Engelin ja muiden uusklassismin arkkitehtien lukuisat ennen 1800-luvun puoliväliä tekemät työt ovat kansainvälistä uusklassismia Suomeen

the middle of the century on Sveaborg, fortress settlement on a group of islands off Helsinki. It became Sweden's most ambitious construction project in the 18th century. Under the direction of Augustin Ehrensvärd, the international Baroque fortifications system was applied to the barren rocky outer island. Baroque squares were designed at the centre of each island fortification, and some of the most notable 18th century stone buildings in Finland have been preserved in what is now known by the Finnish name of Suomenlinna. The courtyard of Susisaari was Finland's foremost square before Senate Square in Helsinki was built, but it was badly damaged in the bombardment during the Crimean war in the mid-1800s.

Medieval Finland came within the scope of the Catholic church, and the preserved examples of Medieval architecture testify to lively contacts with the leading cultural centres of Europe. In the centuries following the Reformation, however, Finland was for long much more secluded. Nevertheless, it was in this period, and mostly in the newly settled areas of inland Finland, that perhaps the most original achievement of Finnish architecture emerged: the wooden churches built by master carpenters. But even this tradition was not born in isolation from the outside world; rather it shows the application of international forms of architecture to local conditions, building in wood and especially using logs. The decorative forms are simple, but the buildings show endless native variations on architectural spatial forms.

The log pillar construction was evidently developed in the Middle Ages as an application in wood of the Gothic stone church. Centrally planned churches, as Lars Pettersson has shown, reflect the Renaissance ideal of a centrally planned space. The oldest examples of this are the cruciform churches of the 17th century; the richest variations are from the 18th century. The ground plans, vaulted ceilings and separate bell-towers with layered roofs tell of the Renaissance and Baroque influence.

Finland is a borderland between the cultures of Western and Eastern Europe. This often-expressed fact can also be seen in architecture. The slowly evolving forms of vernacular architecture have come alternately from east and west along with settlement or cultural influence. The Karelian area in the east has continually been under Byzantine influence, an example of which is the Karelian house and its gabled facade. This house type, which was most common beyond the borders of Finland, flourished in the 19th century. However, apart from this there are practically no other reasons for seeing the Eastern influence as important in Finnish architecture. Most influences are clearly from the west or directly from the south. Even when the Neoclassical style was imported into autonomous Finland from St. Petersburg (which was the most important model for the rebuilding of Helsinki), Russian Neoclassicism was very Western in character and represented a variation on current architectural themes.

Although architectural reforms had earlier been slow to reach Finland, the coming of Neoclassicism in the Gustavian period at the end of the 18th century meant that Finland had for the first time more or less caught up with international trends. The old Academy building in Turku, started at the beginning of the 19th century, was in scale and grandeur unprecedented in public construction in Finland in its interiors alone. This is also true of the rebuilding of Helsinki, begun in 1812 with the aim of turning Helsinki into the distinguished capital of the new autonomous Grand Duchy. J.A. Ehrenström's urban plan set the large scale framework for the execution of the 'city as a work of art'. The German-born architect C.L. Engel designed the major Classical style buildings of the monumental city centre, completed partially with Imperial funds and under the Czar's protection. The numerous works

siirrettynä. Kuitenkin tämä arkkitehtuuri on juurtunut Suomeen ja muodostunut osaksi rakennustaiteen kansallisomaisuutta. Uusklassismin vaikutus on ollut suuri. Se on ulottunut kansanrakentamiseen asti, jossa siitä omaksuttiin valkoiset nurkkalaudat, kuusi- tai kahdeksanjakoiset ikkunat ja koristeellisia yksityiskohtia.

Helsinki, joka rakennettiin edustavaksi pääkaupungiksi, oli poikkeustapaus. Useimmat muut Suomen tuolloisista 37 kaupungista olivat 1800-luvun lopulle asti vaatimattomia, ja monet vielä pitkään sen jälkeenkin. Itsenäistä, voimakasta kaupunkilaitosta ja -elämää, kuten Keski- ja Etelä-Euroopassa, ei Suomessa ole ollut. Vain 47 000 asukasta, eli noin joka kahdeskymmenes muutenkin harvaan asutun maan asukkaista, asui kaupungeissa vuonna 1805. Tuolloin ainoastaan Turussa oli yli 10 000 asukasta, kun useimmissa muissa kaupungeissa oli vain muutama tuhat tai jopa vain muutama sata asukasta. Suomessa on ollut kuusi keskiaikaista kaupunkia. Niistä vain Viipuria on ympäröinyt kehämuuri. Vanha Porvoo ja Rauma ovat parhaiten säilyttäneet keskiaikaisen asemakaavansa piirteet ja kaartuvat katunsa. Kaupunkien talot ovat kuitenkin yleensä vasta kahden viime vuosisadan ajalta. 1700-luvun kaupunkitalot ovat jo harvinaisuuksia, ja 1600-luvulta tunnetaan vain yksi säilynyt ei-kirkollinen kaupunkitalo.

Puu on pitkälle tälle vuosisadalle asti ollut ehdottomasti hallitseva rakennusaine kaupungeissakin. Vaikka yleensä yksi- ja kaksikerroksiset talot ovat olleet vaatimattomia, suomalaisilla puukaupungeilla on kuitenkin ollut vahva oma ilmeensä. Selvästi rajatut kadut ja torit ovat luoneet kaupunkimaista järjestystä. Lähes kaikki kaupungit ovat 1600-luvulta lähtien saaneet renessanssin säännönmukaisuuden ihanteita ilmentävän ruutukaavan, ja 1700-luvulta lähtien rantakadut, puistokadut ja lopulta kaupunkipuistot ovat elävöittäneet julkisia kaupunkitiloja.

Puukaupunkien vitsauksena olivat toistuvat kaupunkipalot, ja pyrkimys paloturvallisuuteen vaikuttikin yhä määräävämpänä kaupunkien rakennustapaan. Kivitaloihin ei yleensä yksinkertaisesti ollut varaa. Puuistutuksia käytettiin palokatkoina. Väljän ja vehreän puukaupungin tärkeimmän mallin loi Engel Turkuun vuoden 1827 palon, suuren kansallisonnettomuuden jälkeen. Juuri luonteenomaisin suomalainen puukaupunki, eräänlainen puutarhakaupunki, on jo väljän rakentamistapansakin vuoksi ollut myös kaikista alttein tuhoutumiselle kaupunkien viime vuosikymmenten aikaisen kasvun ja murroksen mukana.

Vielä itsenäisyyden ajan alussa vain alle joka kuudes suomalainen asui kaupungeissa. Painopiste oli vielä pitkään maaseudulla. Siellä kylät ja raitit tarjosivat vastapainon niukalle kaupunkielämälle. Vaikka kylien hajoaminen oli jo alkanut, ne olivat usein laajimmillaan ja rakennuskannaltaan täydellisimmillään viime vuosisadan lopulla, toisinaan vielä häviämisensä kynnyksellä 1920- ja 30-luvulla, funktionalismin läpimurron aikana. Nykyisin niin tyypillisen haja-asutuksen tai yksipuolisesti kaupallisten tihentymien sijasta Suomessa on siten ollut elävää kyläkulttuuria. Siitä on tosin enää vain harvoja rippeitä jäljellä.

Maalaistalojen ryhmät eivät suinkaan ole sijoittuneet metsän sisään, vaan kulttuurimaisemaan, viljelysten äärelle. Harvaan asutussa maassa pellot on raivattu vaihteleviksi avotiloiksi niitä ympäröivään metsään. Näin suomalaiseen kulttuurimaisemaan on usein syntynyt eläviä maisematiloja, kun vanhoissa kulttuurimaissa metsät ovat useimmiten hoidettuina saarekkeina suurten avointen peltoalojen keskellä.

Tehdasteollisuus tuli Suomeen myöhään ja alkoi verraten suppeana. Ensimmäinen koneellinen teollisuus alkoi vähittäin 1820-luvulla ja laajemmin 1860-luvun jälkeen. Vielä 1910-luvun alussa vain vähän yli kymmenesosa ammattiväestöstä työskenteli teollisuuden palveluksessa, ja oikeastaan vasta toisen maail-

of Engel and other Neoclassical architects in the first half of the 19th century represented international Neoclassicism transferred to Finland. However, this architecture took root in Finland and became part of the national heritage. Neoclassicism has had a vast impact, extending even to vernacular architecture, which adopted white corner boarding, paned windows divided into six or eight, and ornamental detail.

The building of Helsinki as a prestigious capital made it an exception. Most of the then 37 towns in Finland were modest until the end of the 19th century, and many for long after that, too. Independent, strong towns and urban culture such as in central and southern Europe simply did not exist in Finland. Only 47,000 people altogether, i.e. about every twentieth member of the population of a sparsely populated land, lived in towns in 1805. At that time, only Turku had over 10,000 inhabitants; the other towns had a population of only a few thousand or even only a few hundred. Medieval Finland had six towns, of which only Viipuri had an encircling wall. The old parts of Porvoo and Rauma have best retained their Medieval plan and curving streets. The houses, however, are from the past two centuries. Eighteenthcentury townhouses are very rare, and only one non-ecclesiastical townhouse is known to have been preserved from the 17th century.

Wood has been far and away the dominant construction material, even in towns, right up until the present century. Though the houses were mostly one or two storeys high and modest in character, Finnish wooden towns did have their own marked individualism. The clearly defined streets and squares created a townlike discipline. Since the 17th century, almost all towns have acquired a right-angled street plan reflecting the Renaissance ideals of regularity, and from the 18th century onwards towns have been enlivened with embankments, avenues and finally parks.

The wooden towns were plagued by frequent fires, and fire safety contributed increasingly to town planning. Stone houses simply could not be afforded and so rows of trees would be planted as fire breaks. The most important model for the green and spacious wooden towns was created by Engel in Turku after the fire of 1827, a disaster of national proportions. Because of its materials and its spaciousness, the commonest type of Finnish town, a kind of garden town, has been most vulnerable to destruction in the growth and changes of the past decades.

Even around 1917 fewer than every sixth Finn lived in towns. For many years the focal point continued to be in the country, where the village and the village street was the antithesis of the meagre town life. Although the dissolution of villages had already begun, they tended to be at their largest and most complete in terms of buildings at the end of the 19th century, in some cases even up to their disappearance in the 1920s and '30s, the period of the breakthrough of Functionalism. In contrast to the scattered settlements or commercial centres common today, Finland enjoyed a vivid village culture of which few examples now remain. The groups of farm houses were set in the fields and not in the forests. In the sparsely populated countryside the fields form open spatial units surrounded by forests. Thus the Finnish landscape consists of diverse stretches of scenery, whereas in older, long-populated countries, the forests are cultivated islets amidst large expanses of fields.

Industrialism came to Finland rather late and in rather a limited form at first. Industrialization began gradually in the 1820s, and reached larger proportions after the 1860s. Even in the 1910, only about a tenth of the working population was employed in industry, and industrialization proper did not affect Finland until after the Second World War. The social changes of the first period of industrialization had, however,

mansodan jälkeen Suomi on teollistunut. Ensimmäisen teollistumisen kauden yhteiskunnallinen murros oli kuitenkin merkittävä myös rakennustaiteen kannalta. Se synnytti teollisuuden omien ympäristöjen lisäksi uusia rakennustehtäviä ja antoi niiden toteuttamiseen uudet tekniset edellytykset.

Teollisuusympäristöillä oli edeltäjänsä esiteollisen kauden ruukkiyhdyskunnissa. Vanhimmat niistä periytyivät 1600-luvulta, mutta ruukkien loistoaika oli 1700-luvun jälkipuolella. Patriarkaalisissa oloissa syntyneet kartanot, tuotantopaikan määränneen vesistön ympärille rakennetut puistot ja työväenasuntojen ruukinkadut, kuuluvat Suomen ilmeikkäimpiin historiallisiin ympäristöihin. Tuotannon ytimenä olleista masuuneista ja pajoista on tosin säilynyt vain muutamia, mutta ne ovat sitäkin korvaamattomampia teollisuusarkeologisia muistomerkkejä.

Koneellisen teollisuuden läpimurto toi mukanaan uudenlaiset tuotantolaitokset, useimmiten punatiiliset tehdassalit, jotka toisinaan kohosivat ennen näkemättömän korkeina kerrostaloina vanhempien yhdyskuntien äärelle tai neitseelliseen luontoon. Tampereen koskikeskuksesta on vaiheittain rakentunut Suomen tärkein teollisuustyön monumentti. Sen kunnianarvoisin osa on Finlaysonin vanha viisikerroksinen tehdas 1830-luvulta, suomalainen pioneeriesimerkki teollisuuden kotimaassa Englannissa suositusta tehdastyypistä, jossa valurautapylväät kannattavat välipohjia.

Vasta kauppa- ja teollisuuskapitalismin kasvun mukana 1800-luvun puolivälin jälkeen alkoi monikerroksisia kivisiä kerrostaloja – sellaisistahan mannermainen kaupunkiasutus tavallisesti muodostuu – ilmestyä Suomen kaupunkeihin. Empiren Helsinkikin oli vielä laaja puukaupunki julkisten rakennusten luoman akropoliksen ja pienen kivisen keskustansa ympärillä. Ensimmäiseen maailmansotaan mennessä Helsinki muuttui pieneksi suurkaupungiksi, sen väkiluku ylitti 100 000:n rajan heti vuosisadan vaihteen jälkeen. Vanhojen katujen tai puistonäkymien varsille kohosivat kerrostalojen kivimuurit, samalla kun väljät puutalopihat muuttuivat ahtaiksi takapihoiksi. "Eurooppalaiset" kahvilat loivat mannermaista eleganssia Esplanadin varrelle. Pääkaupungin keskustan kivipalatsien äärellä saattoi kokea häivähdyksen Wienin tai Berliinin kaltaisten suurkaupunkien loistosta – samalla kun suuri osa suomalaisista vielä eli varsin vaatimattomissa oloissa ja asui joskus jopa savupirteissä.

Muihin teollisuuskaupunkeihin kohosi kivisiä kerros- ja liiketaloja pääkatujen varsille, joihinkin kaupunkeihin vain yksittäisinä huutomerkkeinä. Useimpiin kaupunkeihin ei kuitenkaan vielä rakennettu ainuttakaan isoa kivitaloa.

Keskustojen kivikaupunkien ulkopuolelle levittäytyivät teollisuustyöväestön uudet puutaloalueet. Ne olivat joko suunnitelmallisesti ja ehkä filantrooppisten pyrkimysten tuella toteutettuja kortteleita kaupunkialueen laidoilla, tai työväestön omatoimisesti kaupunkien rajojen ulkopuolelle pystyttämiä ja siten kaupunkirakentamista koskevista säädöksistä riippumatta kasvaneita puutaloalueita.

Uudet julkiset rakennukset saivat rakennustyyppinsä. Ne olivat joko juhlavan symmetrisiä ja monumentaalisen porrashuoneen hallitsemia kivirakennuksia tai pihapuistoja kehystäviä puutalopaviljonkeja.

Nykyaikaiselle Suomelle luotiin perusta teollistumisen asteittaisen murroksen mukana 1800-luvun puolivälin jälkeen. Kansainvälisiä rakentamisen uudistuksia seurattiin silloin jo hyvin nopeasti. Tämän ensimmäisen kansallisen heräämisen vaiheen rakennustehtäviin sovellettiin vallitsevia kansainvälisiä ihanteita, yleisimmin uusrenessanssia tai sitä vastaavia runsasmuotoisia puuarkkitehtuurin tyylejä. Vuosisadan puolivälissä alkaneen vaiheen johtava arkkitehti, G.Th.P. Chiewitz, teollisuusrakennusten, puuhuviloiden, vuokrakerrostalojen ja rautarakenteiden pioneeri, oli ruotsalainen, joka kansainväli-

far-reaching implications, for architecture, too. It created, in addition to industrial environments, new functions for buildings and the technical resources to implement them.

Industrial environments had a predecessor in the pre-industrial iron works communities. The oldest of these date from the 17th century, but they were at their heyday in the late 18th century. The patriarchal manors, the parks built around the water that dictated the production site, and the street plans of the workers' dwellings are among the most characteristic Finnish historical milieux. Only few of the kilns and smithies on which the production centred have been preserved, valuable monuments to industrial archaeology.

With the breakthrough of mechanized industry came the new factory buildings, mostly of red brick, which towered to unprecedented heights at the edges of older settlements or in the untouched countryside. The centre of Tampere has gradually been built up around the rapids into the most striking monument to industry in Finland. Its most venerable part is the five-storey Finlayson factory from the 1830s, a pioneering Finnish example of a building type with castiron pillars supporting the floors, popular in England, the home of industry.

It was not until the growth of commercial and industrial capitalism in the late 19th century that multi-storied apartment houses in stone – the most common from of urban dwelling on the Continent – began to appear in Finnish towns. Even Neoclassical Helsinki was a sprawling wooden town around its acropolis of public buildings and its small centre built of stone. By the First World War, Helsinki had evolved into a small city; its population passed the 100,000 mark soon after the turn of the century. Old streets and parks were lined with the stone walls of apartment blocks, and the spacious yards of wooden houses had become cramped backyards. 'European' cafe's created a certain Continental elegance on the Esplanade. The stone palaces of the capital had a faint air of the splendour of cities such as Vienna or Berlin about them while the majority of Finns still lived in modest circumstances, some even in the old chimneyless huts.

Other industrial towns began to acquire residential and commercial buildings of stone along their main streets. Some towns, it is true, only had isolated stone buildings rising up like exclamation marks, while others still had no stone buildings at all.

Beyond the stone centres spread the new working class residential areas. Consisting of wooden houses, these areas were either built according to a plan at the edges of towns and perhaps executed through philanthropic projects or they were erected by the workers themselves beyond the town limits and therefore outside town building rules.

The new public buildings were either in stone, grandiose in their symmetry and adorned with a monumental central staircase, or they were wooden pavilions surrounding parklike courtyards.

The foundation for modern Finland was laid during the changes brought by industrialization in the late 19th century. New ideas in architecture the world over were followed keenly. The building projects of this first phase of national awakening looked to international ideals: mostly Neo-Renaissance or the corresponding exuberant styles of wood architecture. G.Th.P. Chiewitz, leading architect of the phase beginning in the 1850s, pioneer of industrial buildings, wooden villas, tenement blocks and iron structures, was a Swede who settled in Finland after an international career. Many of the most eminent architects of the late 19th century such as Th. Höijer, designer of many original Neo-Renaissance buildings in Helsinki, studied at the Academy of Fine Arts in Stockholm. Architect training was started in Finland in 1872. One

sen uran jälkeen asettui Suomeen. Moni 1800-luvun jälkipuolen johtava arkkitehti, kuten Theodor Höijer, mm. monien suurpiirteisten Helsingin uusrenessanssivaiheen rakennusten omaperäinen suunnittelija, oli saanut koulutuksensa Tukholman taideakatemiassa. Arkkitehtikoulutus Suomessa käynnistyi varsinaisesti vuonna 1872. Ensimmäisten valmistuneiden joukossa oli Gustaf Nyström, juhlavien julkisten rakennusten suunnittelija, mutta samalla uuden rakennustekniikan, raudan, lasin ja luonnonkiven käytön sekä myös asumista koskevien sosiaalisten kysymysten esitaistelija. Hän oli täydentänyt opintojaan Wienissä, ja vaikutteet näkyvät esimerkiksi Helsingissä Säätytalossa.

Nykyaikaiselle arkkitehdin ammattikuvalle luotiin myös perusta, kun ensimmäiset yksityiset arkkitehtitoimistot tulivat uusien toimeksiantajien mukana virkamiesarkkitehtien rinnalle 1870-luvulta lähtien.

Ensimmäisen kerran suomalaiset arkkitehdit tietoisesti hakivat innoitusta oman maan rakennusperinnöstä vuosisadan vaihteen kansallisromantiikassa. Kiinnostus Suomen vanhaan rakennustaiteeseen oli virinnyt 1800-luvun jälkipuolella. Varsinkin historialliset linnat olivat aluksi romanttisten restaurointihaaveiden kohteita, mutta 1890-luvulla noussut arvostelu mielikuvituksellisten historiallisten muotojen käyttöä vastaan johti osaltaan varsinaisten säilyneiden rakennusmuistomerkkien tutkimukseen. Nuoret arkkitehdit olivat mukana piirtämässä muistiin etenkin keskiajan kivikirkkoja ja 1600–1700-lukujen puukirkkoja, kun rakennusmuistomerkkejä 1870-luvulta lähtien alettiin tallentaa Suomen muinaismuistoyhdistyksen retkillä. Taiteilijoiden ja arkkitehtien 1890-luvun toivioretkillä Karjalaan, suomalaisen menneisyyden vielä turmeltumattomille lähteille, löydettiin myös pyöröhirsinen karjalantalo.

Kansallisromantiikan pyrkimyksellä kansallisesti värittyneen muotokielen löytämiseen oli rinnakkaisilmiönsä varsinkin Euroopan muiden itsenäistymään pyrkivien kansallisuuksien joukossa. Suomessa uudella itsenäisellä arkkitehtuurilla oli tärkeä tehtävänsä: autonomian ollessa uhattuna arkkitehtuuri oli mukana taiteiden yhteisrintamassa julistamassa suomalaisen kulttuurin omaa voimaa. Yhteinen innostus oli vahva, ja kiinnostus oman perinteen löytämiseen oli epäilemättä aitoa. Oman maan perinteisiin viittaavia piirteitä ei silti yritettykään kopioida, vaan ne olivat pikemminkin uutta luovan arkkitehtuurin innoittavia aineksia.

Päämääränä oli uuden arkkitehtuurin luominen kansainvälisessä etujoukossa. Siinä oli yhteisenä lähtökohtana vapautuminen ns. tyyliarkkitehtuurin kahleista. Avoimesti Suomen nuori arkkitehtien polvi omaksui vaikutteita Brittein saarilta ja varsinkin Skotlannista, sekä Yhdysvalloista ja varsinkin ns. paanutyylistä sekä H.H. Richardsonin jykevästä kiviarkkitehtuurista. Vaikutteita saatiin yhtälailla myös Keski-Euroopasta, kuten Belgian Art Nouveausta sekä saksalaisesta ja wieniläisjugendista.

Oman maan perinteestä saatiin myös tukea monille arkkitehtuurin kansainvälisten uudistuspyrkimysten keskeisille periaatteille. Vaadittiin aitojen materiaalien käyttöä, ja löydettiin uudestaan oman maan puu ja luonnonkivi, varsinkin orastavan kotimaisen kiviteollisuuden käyttämä graniitti. Pyrittiin elävään, epäsymmetriseen tilojen ja rakennuskappaleiden ryhmittelyyn, joka oli sukua keskiaikaisperäisle vähittäin ja vaiheittain kasvaneille rakennuksille. Uuden arkkitehtuurin suuret sileät tai vain maalauksellisiseen materiaalivaikutukseen perustuvat julkisivupinnat vaikuttivat suorastaan alastomilta edellisten vuosikymmenten ylenpalttisen kipsikoristelun rinnalla. Ornamentiikasta ei kuitenkaan luovuttu, se pyrittiin uudistamaan. Orgaanisia muotoja ja viivoja suosivalle koristelulle löytyi sopivia aiheita myös Suomen kasvi- ja eläinkunnasta.

of the first architects to receive a degree was Gustaf Nyström, creator of magnificent public buildings, but also an apostle of a new building technique, the use of iron, glass and natural stone, and of the social aspects of housing. He continued his studies in Vienna; the influence of this period is particularly visible in the design of the Assembly House of the Estates in Helsinki.

A foundation was also laid for the job description of the modern architect. The first private architect agencies opened alongside the offices of state architects in the 1870s.

The first time that Finnish architects made a determined search for inspiration in the building heritage of their own land was in the National Romantic movement at the turn of the century. Interest in old Finnish architecture had awakened in the late 19th century. Romantic dreams of restoration first focused on the ageold castles, but the criticism that arose in the 1890s regarding the use of imaginary historical forms led to research into surviving buildings. From the 1870s onwards the Association of Finnish Antiquities organized field trips with the purpose of documenting architectural monuments. The young architects of the day went along, too, in order to make drawings of, above all, the Medieval stone churches and the wooden churches of the 17th and 18th centuries. The round-log Karelian house, too, was discovered on the pilgrimages made by artists and architects to Karelia, the uncorrupted source of Finland's past, in the 1890s. The National Romantic quest for a nationally toned language of form had its parallels among other peoples striving for independence, particularly those in Europe. In Finland the new independent architecture had its own important function: when Finnish autonomy was threatened, architecture was united with all the other arts in a common front proclaiming the strength of Finland's own culture. The common enthusiasm was great, and the interest in finding Finland's own heritage was no doubt genuine. Nevertheless, traits alluding to that heritage were not copied; instead, they served as inspiration for new, creative architecture.

The goal was to create a new architecture in the international forefront. A common premise was liberation from the bonds of 'style architecture'. The young generation of Finnish architects openly adopted influences from the British Isles, Scotland in particular; from the United States, its 'shingle style' and the mighty stone architecture of H.H. Richardson, from Belgian Art Nouveau, and German and Viennese Jugend.

Ruoveden Kalela, Akseli Gallen-Kallelan oma, v. 1894 valmistunut erämaa-ateljee.

Akseli Gallen-Kallela's studio hide-away, Kalela in Ruovesi, completed in 1894.

Karjalantalossakin kohdattiin jotain tuttua: vapaaseen tilaryhmittelyyn oli kansainvälisestikin pyritty jo 1800-luvulla ja erityisesti huvila-arkkitehtuurissa, ja sen yhtenä tärkeänä lähtökohtana oli sveitsiläistalo, joka suurine päätyineen onkin oikeastaan samaa sukujuurta kuin karjalantalo.

Ehkä juuri se, että kansainvälisiä vaikutteita yhdistettiin niin ennakkoluulottomasti ja niihin liitettiin omintakeisia paikallisväriä antavia piirteitä, teki suomalaisen kansallisromantiikan arkkitehtuurista niin iskuvoimaista. Pariisin maailmannäyttelyssä vuonna 1900 nuoren arkkitehtikolmikon Herman Gesselliuksen, Armas Lindgrenin ja Eliel Saarisen suunnittelema Suomen paviljonki herätti laajaa huomiota. Kuten usein on todettu, uusi suomalainen arkkitehtuuri tuli nyt ensi kerran maailman tietoisuuteen. Muutaman vuoden ajan elettiin taiteiden kultakautta. Ihanteena oli kokonaistaideteos, jossa kuvataiteet ja taideteollisuus erottamattomasti liittyvät arkkitehtuuriin. Täydellisimmin ihanne toteutui juuri Gesselliuksen, Lindgrenin ja Saarisen huviloissa sekä Lars Sonckin jykevissä töissä, joiden huipentumana on Tampereen Johanneksen kirkko, nykyinen tuomiokirkko.

Mielikuvituksen voima, suggestiivinen maalauksellisuus ja tilojen rikkaus puhuttelevat näissä teoksissa nykyajan katsojaa. Pyrkimys vapautuneeseen luontevaan kodikkuuteen on myös vahvasti koettavissa tuon uudistusvaiheen rakennuksissa. Vuosisadan vaihteen arkkitehdit kykenivät ennen muuta luomaan yhden kouriintuntuvan ja tutuksi tulleen kuvan suomalaisuudesta – tai myytin siitä. Jo 1800-luvulla oli esimerkiksi huvila-arkkitehtuurissa luotu tietoinen suhde luontoon, silloin luontoa edusti lähinnä puisto. Koskemattomasta luonnosta tuli lopulta 1890-luvulla suomalaisen arkkitehtuurin ihanteellinen ympäristö. Samalla järeästä arkaaisuudesta tuli suomalaisuuden tunnus, raskaasta graniitista vakavan kansanluonteen perikuva. "Metsät ja puu, kalliot ja luonnonkivi, erämaa ja tuli astuvat esille suomalaisen asumismuodon ajattomina lähtökohtina" (Kirmo Mikkola).

Kansallisromantiikan myötä jugendin piirteitä omaksuttiin nopeasti myös laajaan ympäristöön. Syntyi esimerkiksi kaupunkien ja maaseudunkin tyypillinen puu-jugend. Varsinainen kansallisromantiikka rajatussa mielessä jäi kuitenkin lyhyeksi episodiksi Suomen rakennustaiteessa. Se oli asteittain alkanut 1890-luvun puolivälissä, mutta jo seuraavan vuosikymmenen puolivälissä se sai väistyä toisen, suurempaan selkeyteen ja rationaalisuuteen pyrkivän valtasuuntauksen tieltä. Kansallisromantiikan hirsiarkkitehtuuri sopi ehkä luonnon keskelle, ja maan historiaan viittaavat aiheet olivat luontevia Kansallismuseon kaltaisessa tehtävässä. Kasvavien kaupunkien uusiin rakennustehtäviin kansallisromantiikan kärjistetyimmät muodot sopivat kuitenkin huonosti.

Jos kansallisromantiikan esitaistelijoiden hyökkäys "kipsirenessanssin" epäaitoutta vastaan oli ollut kova – ajatustapa on sitkeästi elänyt viime vuosikymmeniin asti – saivat kansallisromantiikan liioitellut piirteet pian yhtä ankaran tuomion. "Me täällä Suomessa emme enää elä metsästyksestä ja kalastuksesta; kasviornamentit ja karhut muista eläimistä puhumattakaan, ovat tuskin edustavia vertauskuvia ajalle, jota hallitsevat höyry ja sähkö." Nämä Sigurd Frosteruksen sanat ovat Suomen arkkitehtuurin historian tunnetuimmasta kiistakirjoituksesta. Frosterus ja Gustaf Strengell julkaisivat sen yhdessä vuonna 1904, sen jälkeen kun kansallisromantiikan taakse päin katsovat ihanteet olivat Helsingin rautatieaseman kilpailussa vieneet voiton uuden rakennustekniikan antamiin mahdollisuuksiin perustuvista ehdotuksista.

Jo 1800-luvun jälkipuolella Suomessakin oltiin oltu avoimia teollistumisen ajan uusille, esimerkiksi raudan ja lasin tarjoamille mahdollisuuksille, kuten terässillat tai kauppahallien, julkisten rakennusten ja kasvihuoneiden rauta- ja lasikatot osoittavat. Juuri ennen vuosisadan vaihdetta rakennettiin en-

The domestic heritage was also a sourse of support for many of the central principles of the international reform trends in architecture. The use of authentic materials was demanded, and Finnish wood and natural stone were rediscovered, especially the granite used by the budding domestic stone industry. The aim was towards a living, asymmetrical free grouping of space and buildings, foreshadowed by the old buildings that had gradually been added to and enhanced since first built in Medieval times. The expansive facade surfaces of the new architecture, whether left smooth or relying on the textural effect of the material, looked almost naked next to the florid plaster decorations of the previous decades. However, ornamentation was not dispensed with altogether, it was merely renewed. Motifs for decoration favouring organic forms and contours were found in the Finnish flora and fauna. Even the Karelian house had something familiar about it: already in the 19th century, and especially in villa architecture, free articulation of space had been sought the world over, following above all the model of the Swiss chalet, which with its dominating gables is actually a relative of the Karelian house.

Perhaps it was the unprejudiced mingling of international influences with original splashes of local colour that made Finnish National Romantic architecture so striking. At the Paris World Fair in 1900 the Finnish pavilion, designed by a trio of young architects (Herman Gesellius, Armas Lindgren and Eliel Saarinen) attracted widespread attention. As has often been said, this was the first time that the world became aware of Finnish architecture. The next few years the arts were at a peak. The ideal of the period was the total work of art in which painting, sculpture and applied art were fused inseparably with architecture. This ideal was realized most fully in the villas of Gesellius, Lindgren and Saarinen, and in the imposing works of Lars Sonck, crowned by the church of St. John in Tampere, now the Cathedral of Tampere.

The power of imagination, the suggestive picturesqueness and the richness of space are what appeal to the modern viewer in these buildings. An attempt to create an unshackled homelike atmosphere is also present in the buildings of this period of reform. The architects of the turn of the century managed above all to create a tangible and by now familiar image or myth of Finnishness. In villa architecture back in the 19th century a conscious contact with nature had been created, with nature usually being represented by a park. It was only in the 1890s that untouched nature became the ideal environment for Finnish architecture. At the same time, a certain crude archaism became the hallmark of Finnishness; the heavy character of granite became a reflection of the gravity of the Finnish mentality. "Forests and wood, rocks and natural stone, wilderness and fire made their presence known as the timeless fundaments of Finnish living" (Kirmo Mikkola).

In National Romanticism certain features odf Art Nouveau were quickly acquired in larger contexts, too, for example, in the wooden buildings of the towns and to some extent in those of rural areas as well. Early National Romanticism in a strict sense was short-lived in Finnish architecture. It had evolved by degrees since the mid-1890s, but within ten years it had to yield to another main trend aiming at greater simplicity and rationality. National Romantic log architecture may have been appropriate in natural surroundings, and historical motifs suited a project such as the National Museum, but the purest forms of national Romanticism were impractical for the building of the growing cities.

The savageness of the attack made by the National Romantic pioneers on the 'plaster Renaissance' – a view that has persisted until fairly recently – was soon repeated in the public condemnation of the exaggerated traits of National Roman-

simmäiset pelkästään liike- ja toimistohuoneistoja sisältävät monikerroksiset liiketalot, ja niissä rakenteellisesta selkeydestä luonnollisesti saattoi tulla tärkein arkkitehtoninen lähtökohta. Rautabetonitekniikka, joka on ollut tärkeämpänä edellytyksenä 1900-luvun arkkitehtuurille kuin mikään muu tekninen uudistus, yleistyi Suomessakin 1900-luvun alussa.

Entistä suurempaan yksinkertaisuuteen pyrkivä suunta – nimitettäköön sitä ylimalkaisesti vaikka jälki-jugendiksi – tuli vallitsevaksi jo heti vuoden 1905 jälkeen ja se jatkui ensimmäisen maailmansodan aikaan asti. Kaupunkioloihin syntynyt mannermainen jugend-arkkitehtuuri oli sen tärkein esikuva. Liiketalojen ja betoniarkkitehtuurin pioneeri oli Selim A. Lindqvist. Ero eri arkkitehtien edustamien suuntausten välillä ei kuitenkaan ollut ratkaiseva, paremminkin arkkitehtoninen ilme määräytyi rakennustehtävän ja arkkitehdin henkilökohtaisen otteen mukaan. Kansallisromantiikan keskeisimmät suunnannäyttäjät kuuluivat taas tässäkin vaiheessa johtaviin arkkitehteihin. Eliel Saarisen suunnittelema Helsingin rautatieasema on aikakautensa kansainvälisestikin katsoen huomattavimpia rakennuksia. Se oli myös ensimmäisiä esimerkkejä Suomessa siitä, kuinka betonirakenteiden avulla, joita aluksi oli kokeiltu teollisuusrakennuksissa, nyt voitiin saada aikaan monumentaalisia sisätiloja.

Symmetria ja juhlavuus olivat ominaisia ensimmäistä maailmansotaa edeltäneen taloudellisen nousukauden uhkeille pankkien ja vakuutusyhtiöiden liikepalatseille. Sosiaalinen asuntokysymys, jonka vakavuus oli tullut esille vuoden 1905 suurlakossa, oli kuitenkin myös nousemassa arkkitehtien työn tärkeäksi kohteeksi.

Suomen poliittisen itsenäisyyden julistus ei saanut rinnalleen esimerkiksi kansallisromantiikkaan verrattavaa arkkitehtuurin ilmaisua. Itsenäisyyden alkuvuodet olivat niukkuuden aikaa, eikä suuria rakennustehtäviä juuri toteutettu. Arkkitehtuurissa haettiin kuitenkin monella taholla uusia suuntaviivoja, ja tämä uusien ilmaisumahdollisuuksien etsiminen tekee 1910-luvun lopun ja 1920-luvun arkkitehtuurista jälkikäteen katsoen mielenkiintoisen. Erilaisten tyylien kokeilu ulottui tehtävien mukaan maalaiskirkkojen ja -talojen vanhaa kotimaista puurakennustaitoa mukailevista muodoista Helsingin keskustan mannermais- tai suorastaan amerikkalaishenkisiin liiketaloihin ja suurkaupunkivisioihin.

ticism itself. "In Finland we no longer live by hunting and fishing. Plant ornaments and bear motifs, not to mention other animals, are hardly symbols representative of an age governed by steam and electricity." This quotation comes from Sigurd Frosterus, in the most famous polemic article ever published in the history of Finnish architecture. Written jointly by Frosterus and Gustaf Strengell in 1904, it appeared at a time when National Romantic retrospective ideals had triumphed over suggestions based on the possibilities of newer construction techniques in the competition for the design of the Helsinki railway station.

From the late 19th century the potential offered by industrialization in the use of iron and glass was realized in Finland, as seen in steel bridges or the iron and glass roofs of market halls, public buildings and greenhouses. Just before the turn of the century the first multi-storey buildings exclusively for business and office use were built, and in these, structural simplicity naturally could become the prime goal of the design. Building in reinforced concrete, the most vital component of 20th century architecture, became common in Finland at the beginning of the century.

A trend aiming at even greater simplicity – we could loosely lable it post-Art Nouveau – began to prevail shortly after 1905 and persisted until the First World War. The Jugend architecture in the cities of continental Europe was the most significant model of this style. Commercial buildings and concrete architecture were pioneered by Selim A. Lindqvist. The difference between the trends represented by individual architects was not decisive, however; rather, the overall architectural expression depended on the project in question and on each architect's own accomplishment. The leading figures of the National Romantic movement continued in the forefront now as well: the Helsinki railway station, designed by Eliel Saarinen, is one of the most notable buildings of the period, even in the international context. It is also one of the first examples in Finland of the use of concrete structure, previously experimented with in industrial buildings, to create monumental interiors. The impressive bank and insurance company palaces of the period of economic boom before the First World War are marked by symmetry and grandeur. At the other end of the scale, social housing, which had emerged as a grave problem in the general strike of 1905, was becoming an important subject for architects.

Liiketalo Aleksanterinkadulla Helsingissä, Selim A. Lindqvistin julkisivupiirustus v:lta 1907.

Elevation design: An office building on Aleksanterinkatu in Helsinki. Selim A. Lindqvist (1907).

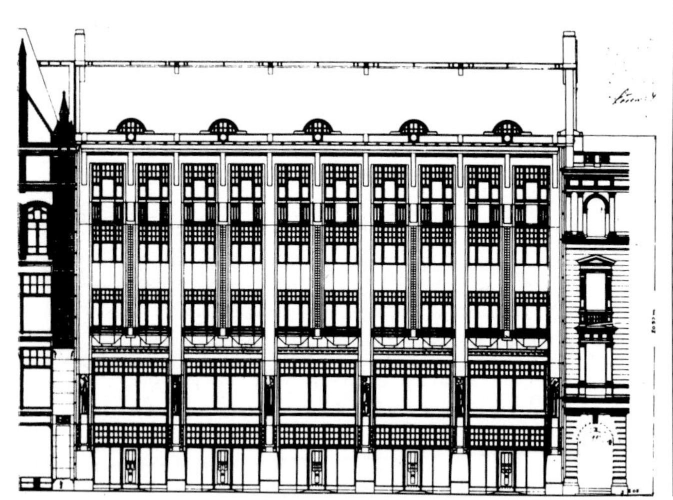

Eliel Saarinen: Helsingin rautieaseman sivuhalli ja sen betonikaaret, perspektiivi vuodelta 1911.

Eliel Saarinen: Helsinki Railway Station flanking hall and its concrete arches. Perspective drawing from 1911.

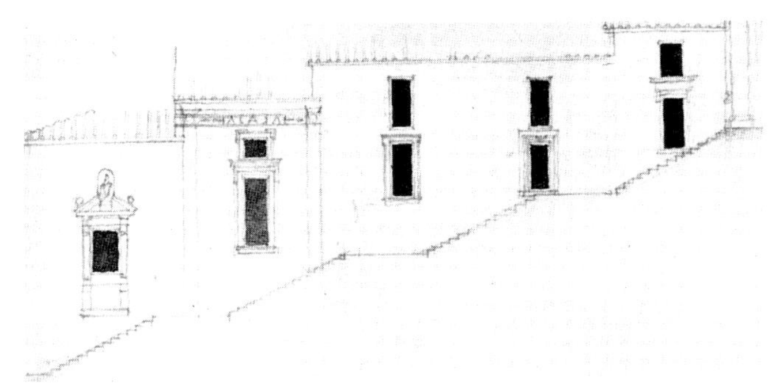

Hilding Ekelund: matkaluonnos Roomasta 1921.

Hilding Ekelund: travel sketch from Rome 1921.

Oman maan rakennusperintö oli taas innoituksen lähteenä. Nyt ei kiinnostuksen kohteena kuitenkaan ollut keskiaika ja maan myyttinen menneisyys, kuten kansallisromantiikan aikana, vaan elävä kulttuurimaisema, talonpoikaistalot sekä ruukkien ja pikkukaupunkien yhtenäinen puutaloasutus. Jo 1910-luvulla oli kotoinen empire tullut kiinnostuksen kohteeksi samalla kun klassiset pylväät oli otettu uudestaan käyttöön kartanoissa ja julkisissa rakennuksissa.

Pohjoismaista yhteenkuuluvuutta korostettiin erityisesti itsenäisyyden ajan alkukymmeninä. Arkkitehtuurin pääsuuntaukseksi tulikin 1920-luvulla pohjoismaisesti värittynyt klassismi. Uudesta skandinavisesta ja varsinkin ruotsalaisen Gunnar Asplundin arkkitehtuurista tuli tärkeä esikuva. Pohjoismaiden arkkitehtejä yhdisti innostus Välimeren maiden ajattomaan rakentamisperinteeseen ja ennen muuta Italiaan. Siellä rakennusryhmien punnittu sijoitus klassiseen maisemaan ja vanhojen kaupunkien nimettömien talojen "architettura minore" olivat tärkeimmät opintomatkojen luonnosvihkoihin tallennetut kohteet, eivätkä niinkään arkkitehtuurin historian suuret monumentit.

Itsenäisyyden ajan alkukymmenten suuri rakennustehtävä oli Eduskuntatalo. Siitä tuli suunnittelijansa J.S. Sirenin edustaman "akateemisen" klassismin pääteos. Sen materiaalinkäsittelyltään ja käsityötaidoltaan loisteliaat sisätilojen sarjat ovat hyvä esimerkki 1920-luvun pyrkimyksestä monivivahteiseen tilataiteeseen. Eduskuntatalon sisätilat ovat maassamme melko ainutlaatuiset jo senkin vuoksi, että ne ovat niin hyvin säilyneet.

Suurin merkitys 1920-luvun arkkitehtuurilla oli kuitenkin sosiaalisten rakennustehtävien, varsinkin asuintalojen suunnittelussa. Niukat taloudelliset edellytykset pakottivat pelkistykseen, mutta se oli myös arkkitehtuurin ihanteena. Pyrittiin selkeisiin perusmuotoihin, punnittuihin suhteisiin ja

The declaration of Finland's political independence in 1917 did not breed an architecture comparable to National Romanticism. The first years of independence were a meagre time, and large building projects were practically nonexistent. Nonetheless, new designs were sought from various sources in architecture, and this search for new possibilities of expression makes the architecture of the late 1910s and early 1920s interesting in retrospect. Experiments with different styles ranged from forms emulating the timber structures of country churches and houses to the Continental or, more precisely, American, business buildings and citylike vistas in the centre of Helsinki.

The source for inspiration was once again the domestic building tradition; contrary to National Romanticism, however, the interest now was not in Medieval or ancient mythical times, but in the living rural scene, in the farmhouses and the coherent clusters of wooden houses in the iron works communities and small towns. In the 1910s, domestic Neo-Classicism had become a subject of interest, with Classical columns being readopted in manor houses and public buildings.

A sense of Nordic solidarity was emphasized especially in the first decades of independence, and in the 1920s, a Nordically toned brand of Classicism became the leading style. New Scandinavian architecture, especially that of the Swedish architect Gunnar Asplund, became an important model. Nordic architects shared an enthusiasm for the timeless Mediterranean building tradition, above all, that of Italy. The carefully balanced placing of buildings in a Classical setting and the 'architettura minore' of anonymous houses in old cities were the most important sights recorded in sketch books on study trips, taking precedence over the great monuments of architectural history.

The greatest building project of the early years of independence was the Parliament house. It became the major work of the 'academic' Classicism represented by its designer, J.S. Siren. Its interiors, resplendent in their use of materials and handicraft, are an excellent example of the 1920s' aim at the intricacies of spatial art. The interior facilities of the Parliament house are unique in Finland also because they are so well preserved.

However, the most important contribution of the architecture of the '20s was in residential buildings and social housing. Scarce economic resources made a certain ascetism imperative, but this simplicity was also an architectural ideal. The trend was towards clear basic forms, balanced proportions and carefully considered nuances, the timeless basics of archi-

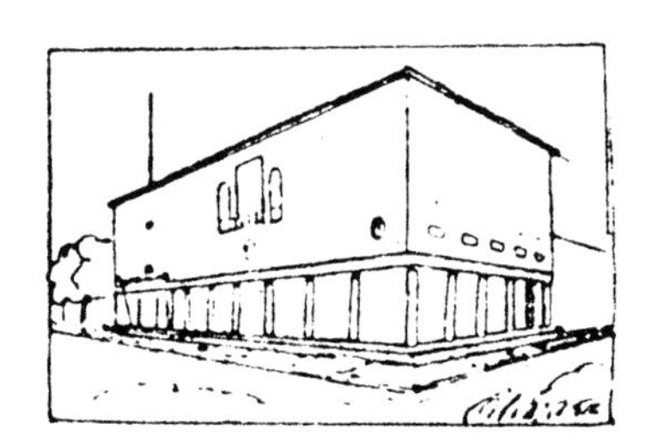

Alvar Aalto: vinjetti julkaisuun Jyväskylän työväentalo, 1925. Aalto viittaa italialaisiin pikkukaupunkeihin, "varhaisrenessanssin kuutiomaiseen rakennustaiteeseen" ja Giotton, Fra Angelicon ja Carpaccion rakennustaiteellisiin pienoiskuviin. Työväentalo, Aallon nuoruudentyö toteutettiin 1923–1925.

Alvar Aalto: vignette for the publication 'Jyväskylä Workers' Club' (1925). Aalto makes reference to Italian small towns, the "cubic architecture of the early Renaissance", and architectural miniatures by Giotto, Fra Angelico and Carpaccio. The Workers' Club was built in 1923–25, and already shows signs of Aalto's genius.

Erik Bryggman: Hotelli Hospitz (1926–29) ja Asunto Oy Atrium (1927), arkkitehdin sommittelema yhtenäinen kaupunkinäkymä Turussa. Julkisivupiirustus.

Erik Bryggman: Hotel Hospitz (1926–29) and the housing company Atrium (1927), a harmonius architect-designed townscape in Turku. Elevation.

harkittuihin vivahteisiin, kohti arkkitehtuurin ajattomia perusteita. Koristeita käytettiin vielä, mutta säästeliäästi – kuin niiden helmien arvoisina, joihin nuori Alvar Aalto vuonna 1922 oli verrannut Suomen vanhan rakennustaiteen harvalukuisina esiintyviä tyyliaiheita.

Omaperäisimmät ja raikkaimmat 1920-luvun työt loi nyt esiin astunut uusi arkkitehtipolvi, johon kuuluivat mm. Erik Bryggman, Hilding Ekelund ja myös Alvar Aalto. Tämä vielä klassisen koulutuksen saannut sukupolvi kuului johtaviin arkkitehteihin 1950-luvulle asti. Jos kansallisromantiikka oli pyrkinyt jykevyyteen ja suojaaviin valohämyisiin tiloihin, yhdistyvät uutta polvea uudet ihanteet. Niitä voisi näin jälkikäteen luonnehtia Ekelundin sanoilla vuodelta 1950: "Kehittyneen tekniikan ja aikamme sosiaalisen elämän perustalle olisi luotava rakennustaide, jossa looginen luontevuus, konstruktion keveys, inhimillinen tunne, henkevä herkkyys, vieläpä huumorikin ovat hallitsevina piirteinä."

Turussa valmistui juuri 1920- ja 30-lukujen vaihteeseen tultaessa muutamassa vuodessa merkittävä sarja uusia rakennuksia, kuten Alvar Aallon "standardivuokratalo" ja Turun Sanomien betonirunkoinen ja nauhaikkunainen liiketalo sekä Erik Bryggmanin kuutiomainen sileäpintainen hotelli Hospitz. Samojen arkkitehtien vain muutamaa vuotta aikaisemmin aloitettuihin rakennuksiin verrattuna arkkitehtuuri oli lopullisesti pelkistynyt, nyt viimeisetkin klassiset koristemuodot oli jätetty pois. Valkoinen funktionalismi oli tehnyt läpimurtonsa.

Uusi arkkitehtuuri, joka Suomessa kasvoi esiin uusien pyrkimysten joukosta 1920-luvun puolivälin jälkeen, oli osa kansainvälistä liikettä, rationalismia, realismia tai uusasiallisuutta, joka etenkin Pohjoismaissa lopulta vakiintui funktionalismin nimisenä. Pariisissa toimivan Le Corbusier'n työt olivat tärkeitä taiteellisen innoituksen lähteitä, vaikka hänen lennokkaisiin kirjoituksiinsa Pohjoismaissa suhtauduttiinkin vähän epäillen. Weimarin tasavallan Saksasta saatiin tärkeimmät esikuvat sosiaalisten rakennuskysymysten alalla. Uusi hollantilainen arkkitehtuuri oli asuntojen ja varsinkin teollisuus- ja liikerakennusten suunnittelun ihanteena – ja on ollut sitä nykypäiviin asti. Neuvostoliiton alkuaikojen kokeileva arkkitehtuuri tunnettiin myös Suomessa, tosin välillisesti. Ruotsalaisilla arkkitehdeilla oli kuitenkin ehkä suurin merkitys Suomessa funktionalismin läpimurtokaudella sekä suoranaisina esikuvina että kansainvälisten vaikutteiden välittäjinä. Tukholman näyttely vuonna 1930 oli uusien periaatteiden kokoava julistus Pohjoismaissa, ja Gunnar Asplundin ylivertaisen henkevä näyttelyarkkitehtuuri oli uusien ilmaisumahdollisuuksien vakuuttava osoitus.

Kaikkein avoimimmin kansainvälisesti suuntautui Suomessa Alvar Aalto, joka jo 1920-luvun lopulla solmi henkilökohtaiset suhteet moniin arkkitehtuurin ja kuvataiteen eturintaman johtohenkilöihin. Olennaista Aallonkaan kohdalla ei ole se, mistä vaikutteet saatiin, vaan se mitä uutta niiden pohjalta luotiin.

Arkkitehtuurin uudistus oli sananmukaisesti radikaalia, juuriin menevää. Pyrittiin löytämään vastaukset todellisiin, "reaalisiin" tehtäviin – olemassa oleva todellisuus on hyväksyttävä, vaadittiin ruotsalaisen funktionalismin ohjelmakirjoituksessa "acceptera". Arkkitehtoninen ilmaisu johdettiin rakenteista, puhtaista pinnoista, suhteista, ja tavoiteltiin elävästi toisiinsa liittyviä valoisia tiloja. Arkkitehtuurin historia osoittaa, kuinka yhä uudestaan syntyy tarve palata arkkitehtuurin perusteisiin. Tässä mielessä funktionalismi on klassista ja jotenkin tuttua.

Vaikka funktionalismin pioneerikausi Suomessa merkitsi jyrkkää muutosta, voi siinä ainakin näin jälkikäteen nähdä myös jatkuvuutta. Jo kansallisromantiikassa juuri tilojen ryhmittely oli vapautunutta. Uuden arkkitehtuurin henkiset juu-

tecture. Ornamentation was still used, but sparingly – as if worthy of the pearls with which the young Alvar Aalto had compared the rare decorative motifs of old Finnish architecture in 1922.

The freshest and most original works of the '20s were created by a new generation of architects, including Erik Bryggman, Hilding Ekelund, and also Alvar Aalto. This generation, which had received a Classical training, remained the leading architects until the '50s. Where National romanticism had aimed at grandeur and protective chiaroscuro interiors, the members of the new generation were linked by new ideals. They could be described with the words of Ekelund from 1950: "We should create, on the basis of the advanced technology and social life of our time, an architecture which is logically natural, light in construction, human in mood, delicate in spirit, and even humorous."

A significant series of buildings was built in Turku within a few years in the late '20s and early '30, such as the 'standard tenement block' of Alvar Aalto, the offices of Turun Sanomat, with its concrete structure and banded windows, and Erik Bryggman's cubic, smooth surfaced hotel Hospitz. Compared with the buildings designed by the same architects only a few years before, their architecture had now reached the ultimate in simplification: the last vestiges of Classical decoration had been eliminated. White Functionalism had made its breakthrough.

The new architecture, which in Finland emerged from a group of new trends in the late 1920s, was part of an international movement, Rationalism, Realism, or 'Neue Sachlichkeit', which particularly in the Nordic countries became established as true Functionalism. The works of Le Corbusier in Paris were important sources of inspiration, even though his elevated writing provoked skepticism in Scandinavia. In social building, the most important models were found in the Weimar Republic. New Dutch architecture was the ideal for designing housing, especially industrial and business buildings, and so it has remained to the present day. The experimental architecture of the first years of the Soviet Union was also known in Finland, although indirectly. However, it was the Swedish architects that had the greatest influence both as models and as mediators of international influences in the breakthrough period of Functionalism in Finland. The Stockholm exhibition in 1930 was a central declaration of the new principles in the Nordic countries, and Gunnar Asplund's supremely inspired exhibition architecture was a convincing demonstration of the new possibilities of expression.

The most openly international attitude in Finland was adopted by Alvar Aalto, who made personal contacts with many figures in the forefront of architecture and the arts in the late 1920s. But even with Aalto, the essential thing is not where the influences came from but what was created as a result.

The reform of architecture was literally radical, extending right down to the roots. The aim was to find answers to 'real' problems – the Swedish Functionalism manifesto demanded that the existing reality must be accepted. Architectural expression was derived from structure, clean surfaces, proportions, and the aim was to produce organically interconnected well-lighted spaces. The history of architecture shows a recurring need to return to the basics of architecture. In this sense Functionalism is Classical and somehow familiar.

Although the pioneer period of Functionalism in Finland meant a radical change, a sort of continuity can be seen in retrospect. Grouping of spaces was already quite free in National Romanticism. However, the spiritual roots of the new architecture were in the intellectual trend of the turn of the century represented by Frosterus and Strengell. In the

ret olivat kuitenkin lähinnä siinä vuosisadan alun älyllisessä suuntauksessa, jota Frosterus ja Strengell edustivat. Varsinkin 1920-luvun klassismissa arkkitehtuurin pelkistys oli viety jo pitkälle, samoin sosiaaliset rakennustehtävät olivat nousseet etualalle. Arkkitehtuurin muutos tapahtui Suomessa näennäisen helposti, ehkä jo senkin vuoksi, että tukevan porvarillisen perinteen painolastia oli niin vähän.

Funktionalismin uudistuksessakin etsittiin siteitä myös perinteeseen. Innostus Välimeren maiden valkeiden talojen nimettömään rakentamisperinteeseen oli kansainvälistä. Pohjoismaissa rakennuskulttuurin juuria haettiin myös kansanrakentamisen yksinkertaisten perustyyppien elävistä muunnelmista ja edellisten vuosisatojen suorasukaisista hyötyrakennuksista. Suomessa uudelle arkkitehtuurille löydettiin – jälleen – tukea myös oman maan historiasta. Ekelund kirjoitti vuonna 1932 uuden arkkitehtuurin esittelyyn, että "juuri tuo suoraviivaisesti rakenteellinen ja koristelun askeettinen luonne, joka on tunnusomaista Suomen vanhemmalle rakennustaiteelle, on kosketuskohtana nykyaikaisen arkkitehtuurin kanssa, joka sekä välttämättömyyden pakosta että esteettisistä syistä on päätynyt jotakuinkin samantapaisiin periaatteisiin . . ."

Moniin uusiin rakennustehtäviin omaksuttiin uusi arkkitehtuuri ennakkoluulottomasti. Kuva nuoresta edistyvästä Suomesta luotiin kansainvälisen arkkitehtuurin kielellä. Esimerkkejä tarjoavat matkailun rakennukset, kuten P.E. Blomstedtin sodassa tuhoutunut hotelli Pohjanhovi Rovaniemellä, urheilulaitokset ja niistä ennen muita Yrjö Lindegrenin Olympiastadion Helsingissä, tai liiketalot, teollisuuden rakennukset, myllyt ja varastot, joiden parissa Erkki Huttunen teki lennokkaimmat suunnitelmansa. Kun Paimion parantola valmistui, sanottiin, että se voisi olla yhtä hyvin Madridissa tai Frankfurtissa. Ja kuitenkin tuo Aallon funktionalismin läpimurtokauden päätyö erottamattomasti kuuluu paikalleen suomalaiselle mäntykankaalle, jonka puiden välistä valkoiset rakennussiivet viuhkamaisesti avautuvat maisemaan ja valoisiin ilmansuuntiin. Osuuskauppojen mukana valkoinen funktionalismi levisi maaseutua myöten. Nuo aikoinaan parjatut rakennukset ovat nyt osa Suomen kulttuurimaisemaa ja suojelemisen arvoisia kiintopisteitä uhattujen kylänraittien varrella. Funktionalismi juurtui Suomeen.

Tärkeimpänä tehtäväkenttänä nähtiin asuntokysymys. Todellisuus jäi kuitenkin vielä kauas tavoitteista. Uusien sosiaalisten ja arkkitehtonisten ihanteiden toteutukset jäivät etupäässä yksittäisiksi kokeiluiksi. Vallitsevaan asuntorakentamiseen kulkeutui "funkiksen" nimissä eräitä sen ulkoisia tyylipiirteitä, tuttuja esimerkiksi 1930-luvun Helsingistä Töölön kivikaupungista. Julkista rakentamista leimasi raskas uusasiallisuus, eräänlainen riisuttu klassismi.

Funktionalismin "sankarillisen" alkuvaiheen toteutuneet rakennukset näyttävät nykyajan katsojallekin optimistisesti julistavan uuden ajan aamunkoittoa, niissä on ylittämätöntä itsestään selvää muodon varmuutta. Nykyaikaisen suomalaisen arkkitehtuurin kansainväliselle maineelle luotiin uusi perusta 1930-luvulla – Saarinenhan oli puolestaan jo 1920-luvun alkupuolella siirtynyt toimimaan Yhdysvaltoihin. Paimion parantolaa pidettiin sen valmistuessa vuonna 1933 kansainvälisestikin yhtenä uuden arkkitehtuurin pääteoksista. Viipurin kirjaston ja sen porrastettujen, ylävalolla valaistujen sisätilojen valmistuessa vuonna 1935 Aalto osoitti jo lähteneensä omille teilleen yhtenä uuden arkkitehtuurin tärkeimmistä edelleen kehittäjistä.

Uusi arkkitehtuuri muuttui 1930-luvun jälkipuolella sekä entistä käytännönläheisemmäksi että vapautuneemmaksi. Materiaalit monipuolistuivat. Valkoisen funktionalismin abstraktit sileät pinnat olivat käytännössä yleensä rapattuja ja maalattuja tiili- tai puuseiniä, joita oli vaikea pitää kunnossa. Nyt rinnalle tulivat – uudestaan – "luonnolliset" materiaalit,

1920s Classicism in particular, the simplification had been carried quite far, and social building had become important. On the surface, the change in architecture went smoothly in Finland, perhaps also because there was so little residue from a bourgeois tradition.

Even the Functionalist reform sought ties with tradition. The enthusiasm for the anonymous white house building tradition in the Mediterranean countries was universal. In the Nordic countries, the seekers of the roots of building culture went to the surviving variations of simple basic types of folk building, and the straightforward utility buildings of previous centuries. In Finland, the new architecture – again – sought support in the history of the land. In 1932 Ekelund wrote an introduction to the new architecture, in which he said that "the directly structural nature and ascetism of decoration characteristic of older Finnish architecture is what connects it with modern architecture, which both through necessity and for aesthetic reasons has arrived at the same kind of principles . . ."

The new architecture was accepted without bias for many new building projects. The image of a young, progressive Finland was created in the language of international architecture. Examples of this are buildings designed for tourism, such as the hotel Pohjanhovi in Rovaniemi, designed by P.E. Blomstedt (destroyed in the war), sports facilities, the foremost of which is the Olympic Stadium in Helsinki, designed by Yrjö Lindegren, or the business buildings, industrial buildings, mills and warehouses for which Erkki Huttunen drew his most flamboyant plans. When the Paimio sanatorium was completed, people said it could just as well have been in Madrid or Frankfurt. And yet, this building, Aalto's main work of the Functionalist breakthrough period, is inseparable from its place in Finnish pine forestland, among whose trees the white wings open fanlike to the landscape and to the light. With cooperative shops, White Functionalism spread widely. These buildings, much abused in their day, are now part of the Finnish scene and focal points on endangered village streets that are worth preserving. Functionalism took root in Finland.

Most important was the housing question. However, reality fell far short of the goals. New social and architectural ideals were only implemented in individual experiments. Some external trappings of 'funkis', as it was familiarly called, drifted into the current house construction, derived from the 1930s stone city of Töölö. Public building was characterized by a heavy Neo-Objectivity, a sort of stripped-down Classicism.

The buildings of the 'heroic' early stage of Functionalism that were actually constructed seem to the modern eye to proclaim the dawn of a new era, they have an unsurpassed self-evident sureness of form. The new international reputation of Finnish architecture was being created in the 1930s – Saarinen had moved his activities to the United States in the early 1920s. Even internationally, the Paimio sanatorium was seen as a major work of the new architecture upon its completion in 1933. When the Viipuri library with its terraced interiors lit from above was completed in 1935, it was evident that Aalto had gone his own way as one of the most important promoters of modern architecture.

The new architecture became both more practical and more relaxed in the late 1930s, and a larger variety of materials was used. The smooth abstract surfaces of white Functionalism were usually painted plaster over a wood or brick wall, and difficult to maintain. Now, 'natural' materials, such as wood, natural stone, clinker and brick, emerged – once more. The use of local materials aimed at tying the buildings to their location and its special characteristics; architecture began searching for

Alvar Aalto: Viipurin kirjaston sisäkuva, 1935.
Alvar Aalto: Interior of Viipuri City Library, 1935.

puu, luonnonkivi, klinkkeri ja tiili. Käyttämällä paikallisia rakennusaineita rakennukset pyrittiin myös sitomaan paikkaansa ja sen erityisolosuhteisiin. Yleispätevyyden sijasta arkkitehtuurissa alettiin tavoitella alueellista omaleimaisuutta. Regionalismipyrkimykset ovat toistuvasti tulleet esille 1900-luvun arkkitehtuurissa. Ilmiö on yleismaailmallinen, ja sen tuloksetkin ovat olleet melko samantapaisia eri puolilla maailmaa. Kansainvälisesti johtavat arkkitehdit ja erityisesti Le Corbusier olivat jo – tai vielä – 1920- ja 30-lukujen vaihteessa käyttäneet hyväkseen myös esimerkiksi puun ja luonnonkiven maalauksellisia ilmaisumahdollisuuksia. Pohjoismaissa alettiin 1930-luvun jälkipuolella vähitellen tukeutua uudelleen tiilirakentamiseen. Tärkeäksi esikuvaksi tuli Tanska ja sen eleettömän hyötyarkkitehtuurin perinne, joka oli käytännöllinen, funktionaalinen paremminkin kuin funktionalistinen.

Toinen keskeinen ilmiö oli pyrkimys vapautuneeseen tilasommitteluun. Vaihtelevat rakennuskappaleet ja huonemuodot lomittuivat eläviksi tilasarjoiksi, jotka samalla liittyivät ja avautuivat ulkotiloihin. Yksinkertaisten geometristen perusmuotojen rinnalle tuli kompleksisempia muotoja. Tässä kehityksessä Alvar Aallon osuus on ollut kansainvälisestikin kaikkein merkittävimpiä, hänen 1930-luvun jälkipuolella suunnittelemansa työt avasivat uusia uria vuosikymmeniksi eteenpäin. Aallon koko merkitys ei kuitenkaan näy vielä säilyneiden rakennusten perusteella: useat hänen tärkeimmistä tilaluomuksistaan rakennettiin nimittäin tilapäisiksi näyttelypaviljongeiksi, jotka aikoinaan herättivät laajaa huomiota. Suomen paviljongit Pariisin maailmannäyttelyssä vuonna 1937 ja New Yorkin maailmannäyttelyssä vuonna 1939 olivat uuden dynaamisen tilankehittelyn tärkeimpiä esimerkkejä. Aalto oli kokeillut jo aikaisemmin samantapaisia ratkaisuja esimerkiksi suunnitellessaan Viipurin kirjaston luentosalia ja sen aaltoilevia akustisia kattorakenteita. Näissä kohteissa Aalto käytti suomalaista puuta tärkeimpänä rakennusaineena. Puuarkkitehtuurin uusien muotojen taustana olivat myös Aallon puunkäsittelyn kokeilut. Jo Paimion parantolan rakentamisen aikana noista kokeiluista syntyivät Aallon ensimmäiset, sittemmin kuuluisiksi tulleet standardihuonekalut.

Kansainvälinen funktionalismi oli kosmopoliittista, se oli kasvanut esiin mannermaan teollistuneiden suurkaupunkien oloista ja ongelmista. Suomi oli vielä maatalousmaa, ja todelliset ongelmat olivat maaseudulla ja vasta teollistuvilla alueilla. Sinne päähuomio siirtyi 1930-luvun lopulla. Uusien asumismuotojen yhä keskeisempänä ihanteena oli sopeutuminen maastoon ja maisemaan. Funktionalismi oli muuttanut luontoon.

Uusien pyrkimysten synteesi oli Aallon Villa Mairea. Siinä sisätilat liittyvät ympäröiviin ulkotiloihin, luontoon ja maisemaan yhtä erottamattomasti kuin perinteisessä japanilaisessa arkkitehtuurissa. Erik Bryggmanin päätyössä, 1930-

regional originality instead of universality. Moves towards regionalism of this kind occur repeatedly in 20th century architecture. The phenomenon is universal, and the results were rather similar all over the world. Internationally leading architects, particularly Le Corbusier, had exploited the expressive characteristics of wood and natural stone as early – or as late – as the late '20s and early '30s. The Nordic countries gradually settled back to reliance on brick in the late '30s. Denmark became an important model, with its unaffected architecture and its practical and functional, rather than Functionalist, tradition.

Another important phenomenon was the desire for a relaxed spatial arrangement. A variety of building parts and room forms combined to form flexible spaces which also joined with and opened onto outdoor spaces. Simple basic geometric shapes were augmented by more complex forms. Alvar Aalto was one of the key figures in this development, internationally too.

Aalto's works in the late '30s broke new ground for decades to come. This is not immediately evident from the extant buildings. Several of Aalto's most important creations were originally designed as temporary exhibition pavilions, which nevertheless attracted considerable attention in their day. The Finnish pavilions at the world fairs in Paris in 1937 and New York in 1939 were examples of a new, dynamic spatial development which Aalto had experimented with in the lecture hall of Viipuri library, a building given an undulating roof for acoustic reasons. In these buildings Aalto also used Finnish wood as the major building material. Behind the new forms of wooden architecture were Aalto's experiments in the handling of wood, which, as part of the Paimio sanatorium project, had led to the first of Aalto's famous standardized furniture.

International Functionalism was cosmopolitan; it had emerged from the circumstances and problems of Continental cities. Finland was still an agricultural land, and the real problems were in the country and in the areas of growing industrialization to which the emphasis shifted in the late '30s. The key

Sisäperspektiivi arkkitehti Alvar Aallon suunnittelemasta Suomen paviljongista New Yorkin maailmannäyttelyssä v. 1939. Paviljonki sisustettiin annettuun tilaan: se esitteli Suomen luonnon ja metsät, teollisuuden ja tuotteet yhtenäisenä kokonaisuutena, jota yhdisti puun käyttö. Kaartuvat ja yläosissa kaltevat seinämät toivat kuvat ja esineet havainnollisesti esiin katsojan kulkiessa näyttelyssä.

An interior perspective of the Finnish pavilion at the New York world fair in 1939, designed by Alvar Aalto. The pavilion presented Finland's nature, forests, industry and products as one whole, all connected by the use of wood. Partitions, curved and slanting towards the top, divided the exhibits into pictures and objects which were alternately visible to the visitor moving through the pavilion.

luvun lopulla aloitetussa Turun Ylösnousemuskappelissa, sisätilat avautuvat myös suoraan luontoon. Rakennusryhmä ympäristöineen on kuin osana arkaaista klassista iäisyysmaisemaa. Samalla kun rakennus viittaa eteenpäin, Bryggman osittain palaa 1920-luvun ihanteisiinsa. Välimerenmaiden ajattoman arkiarkkitehtuurin ihanne näkyy myös Hilding Ekelundin Helsingin vanhaan Olympiakylään piirtämissä taloissa.

Sodan jälkeen kaikki voimavarat oli suunnattava jälleenrakennukseen. Pienessä maassa oli menetetty lähes 150 000 asuntoa. Toisaaltahan jo 1930-luvun lopulla oli kiinnitetty yhä enemmän huomiota maaseudun ja teollisuuspaikkakuntien asunto-oloihin. Tässäkin työssä Alvar Aalto oli tärkein aloitteen tekijä. Hänen johdollaan oli mm. vuodesta 1937 kehitetty ns. AA-järjestelmää, teolliseen tuotantoon tarkoitettuja, joustavasti muunneltavia ja kasvavia puutalotyyppejä. Jälleenrakennuksen kaudella standardisoinnin kysymys, joka sisältyi niin tärkeänä osana kansainvälisen funktionalismin sosiaaliseen uudistusohjelmaan, nousi pakostakin keskeiseksi. Standardisointitoiminta alkoi Suomen arkkitehtiliiton aloitteesta jo sodan aikana, ja ensimmäiset kokeilut toteutettiin rintamaoloissa. Puu oli tuolloin pakostakin lähes ainoa saatavissa oleva rakennusaine. Tämän kehitystyön tärkeimmäksi tulokseksi jäivät omatoimiseen rakentamiseen soveltuvat jälleenrakennuskauden puutalotyypit. Käytännössä ne tosin usein saivat palvella hätäisesti pystytetyn pika-asutuksen malleina. Nuo yleensä puolitoistakerroksiset noppamaiset puutalot kuisteineen vakiintuivat kuitenkin niin luontevaksi osaksi maaseudun tai esikaupunkien asutusta, että niistä on tullut suomalaisen asumisen perikuva.

Sodan jälkeistä arkkitehtuuria on Suomessakin yleensä pidetty romanttisena reaktiona, välivaiheena, jossa poikettiin uuden arkkitehtuurin kantavista periaatteista. Pyrittiin pieneen mittakaavaan, lämpöön ja kodikkuuteen, jota loivat avotuli ja viherkasvit. Pintoja elävöitettiin roiskerappauksella ja liuskekivillä, ja toisinaan käytettiin holvikaariakin. Etsittiin paluuta perinteeseen ja kansallisia piirteitä. Sodan aikana kohdattiin uudestaan Raja-Karjalan pyöröhirsiarkkitehtuuri, ja jälleen kerran sen "yksiaineisesta" puurakentamisesta haettiin innoitusta.

Yhtä tärkeitä olivat silti myös kansainväliset vaikutteet. Niitä saatiin samantapaisista lähteistä kuin muuallakin sodan jälkeisessä maailmassa, jossa regionalistiset pyrkimykset nyt yleisestikin korostuivat entistä enemmän. Frank Lloyd Wrightin "orgaaninen" arkkitehtuuri ja sen luonteenomaiset suojaavat aumakatot, sekä perinteinen japanilainen asuntoarkkitehtuuri, sen hienostunut puurakennejärjestelmä ja mittakaava, sen luonnonläheisyys ja asuntoihin liittyvä puutarhataide, olivat nyt erityisesti esillä. Kun kansainväliset yhteydet Suomessa sodan aikaisen sulkeutuneisuuden jälkeen avattiin uudelleen, uusien vaikutteiden ensimmäisiä julistuksia oli Amerikka rakentaa -näyttely vuonna 1945. Amerikkalaisesta arkkitehtuurista, johon Saarinen aikaisemmin oli luonut suhteita ja Aaltokin 1930-luvulla, tuli seuraaviksi vuosikymmeniksi tärkeä uudistusten lähde muutenkin kuin teknisten keksintöjen alueella. Yhdysvaltojen puurakentamisella ja esimerkiksi länsirannikon Bay region -arkkitehtuurilla oli varsinkin 1940-luvulla yhtymäkohtia uusiin pohjoismaisiin arkkitehtuurin pyrkimyksiin.

Pohjoismaisuus korostui 1940-luvulla jälleen Suomessakin. Tanska oli rakentamisen hyvän yleistason mittapuu ja esikuva. Ruotsia pidettiin järjestetyn sosiaalisen asuntorakentamisen kansainvälisenä mallimaana. Yksilöllisistä arkkitehdeista ruotsalaisen vuonna 1940 kuolleen Asplundin viimeiset työt ja hänen maanmiehensä Sigurd Lewerentzin omaperäinen arkkitehtuuri näyttivät – Aallon rinnalla – tietä entistä monivivahteisempaan ja herkempään suuntaan.

principle behind the new forms of housing was to adapt to the terrain and landscape. Functionalism had 'gone natural'.

A synthesis of the new trends can be seen in Aaltos's Villa Mairea. There, the internal spaces connect with the surrounding landscape as inseparably as in traditional Japanese architecture. In Erik Bryggman's magnum opus, the Chapel of the Resurrection in Turku, the interior also opens directly onto nature, and the complex and its immediate surroundings are part of an ancient, classical, everlasting landscape. While the building ponts forward, it is also a partial return to Bryggman's ideals of the 1920s. The ideal of the ageless architecture of the Mediterranean can also be seen in the houses designed by Hilding Ekelund in the Olympic Village in Helsinki.

The war brought all building other than the vital reconstruction to a halt. This small country had lost almost 150,000 dwellings. On the other hand, the living conditions of the countryside and of industrial communities had already been examined in the '30s. In this, Alvar Aalto was again an important instigator. Under his supervision, the 'AA system' of industrially produced, flexible, variable and expandable wooden house types had been developed since 1937. In the reconstruction period the question of standardization, crucial to the social reform programme of international Functionalism, became important of necessity. The standardization process was begun during the war at the suggestion of the Finnish Association of Architects, and the first experiments were conducted at the front. Wood was the only available material at this time. The most important results were the standardized wooden houses of the reconstruction period, suitable for self-construction. In practice, they were often used for hastily erected temporary housing. However, these one-and-a-half storey, cubelike wooden houses with porches became such an integral part of country and suburban living that they have come to epitomize Finnish housing.

Post-war architecture in Finland has been seen as a Romantic reaction, an intermediary stage of deviation from the fundamental principles of the new architecture. Small scale, warmth and coziness were aimed at and achieved with open fires and potted plants. Surfaces were enlivened with dash coat and slate, and even arches were occasionally used. A return to tradition and national characteristics were sought. During the war, round-log Karelian architecture had again been encountered, and its 'single material' wood architecture served as an inspiration yet again.

However, international influences were equally important. These were acquired from the same sources as elsewhere in the post-war world, where regionalist tendencies tended to receive greater emphasis. Frank Lloyd Wright's 'organic' architecture with its characteristic protective hip roofs, and traditional Japanese domestic architecture with its elegant wooden structures and scale, its proximity to nature and its garden art, were particularly popular. When Finland opened up her international contacts again after the seclusion of the war years, one of the first manifestations of new influences was the Amerikka rakentaa ('America builds') exhibition in 1945. American architecture, with which both Saarinen and Aalto had established relations, became an important influence for the next decades, and not only in technical innovation. American wooden building and, for instance, the West Coast Bay region architecture, especially in the 1940s, had characteristics in common with the aims of the new Nordic architecture.

Nordic qualities were emphasized in Finland, too, in the 1940s. Denmark was the measure of and ideal for good quality building. Sweden was internationally regarded as the model country of organized social housing construction. Of individualist architects, the last works of the Swedish architect Asplund (who died in 1940) and the idiosyncratic architecture of

Kuten Suomessakin jo heti alkuun heränneessä arvostelussa huomautettiin, 1940-luvun arkkitehtuurissa oli tosin kieltämättä joillakin tahoilla, esimerkiksi kirkkorakentamisessa, taipumusta hempeyteen ja pikkusievään materiaaliromantiikkaan, samalla kun teollisuusrakennuksissa, siiloissa ja liiketaloissa kuitenkin luontevasti jatkettiin 1930-luvun funktionalismin selkeitä suuntaviivoja. Jälkeenpäin arvioiden arkkitehtuurin kehityksen jatkuvuus sittenkin korostuu. Monet edellisen vuosikymmenen keskeiset kysymykset saatiin nyt uudelle pohjalle: valtion lainoittama asuntotuotanto saatiin vihdoin alkuun kun Arava perustettiin 1940-luvun lopulla, rakennusalan ja esimerkiksi asuntojen toimintojen tutkimus käynnistyi, ja pulakausikin pakotti osaltaan rakennusteknisiin kokeiluihin ja uudistuksiin. Teollinen rakentaminen nähtiin asuntokysymyksen ratkaisemisen välttämättömäksi apukeinoksi. Erityisesti Alvar Aalto kantoi kuitenkin huolta siitä, että tekniikan tuli olla palvelija eikä herra. Aalto työskenteli 1940-luvulla sellaisen "joustavan standardisoinnin" kehittämiseksi, joka takaisi arkkitehtuurin vapauden. Suomi voisi olla uusien periaatteiden laboratorio, koekenttä. Nämä ajatukset viittasivat kauas eteenpäin, vaikkei niistä sitten paljon toteutunutkaan.

Aalto haki myös perinteen tukea näille jälleenrakennustehtävässä tärkeille ja samalla yleispäteville arkkitehtuurin periaatteille mm. kirjoittaessaan vuonna 1941 Karjalan rakennustaiteesta: karjalaistalo oli muuntuvasta alkusolusta vähittäin tarpeiden mukaan joustavasti kasvava rakennusryhmä. Aalto kiinnitti huomiota myös siihen, "miten kauniilla tavalla karjalaiskylä laakeista jyrkkään vaihtelevine kattokulmineen sopeutuu maastoon". Vapautunut kattomuotojen käyttö tulikin nyt ihanteeksi. Valkoisen funktionalismin aikana tunnusomaiseksi tullut tasakatto oli sekin oikeastaan keino vapauttaa pohjaratkaisut kaavoittuneiden kattomuotojen sitovasta vaikutuksesta. Tavoitteena eivät siis suinkaan olleet "laatikot". Onhan "oman aikamme rakennustaiteellinen uudistustyö . . . määrätietoisesti pyrkinyt rakennustaiteellisten muotojen vapauttamiseen ja sen kautta joustavaan rakennus- ja asemakaavataiteeseen . . . Rakennustaiteen uusimmalle renessanssille on ensimmäisenä välttämättömyytenä kaavamaisen kattorakenteen korvaaminen joustavammalla alkaen laakakatosta erilaisiin korkeampiin kattokulmiin."

Olennaisinta 1940-luvun parhaassa arkkitehtuurissa on elävä tilojen sommittelu ja niiden liittyminen luontoon. Jotkut ehkä haetuilta vaikuttavat koristeelliset yksityiskohdat tai materiaalitehot alistuvatkin paikan päällä nähtyinä voimakkaan, maisemaan sulautuvan kokonaisuuden osiksi. Pienenkin rakennuksen tilat on usein eritelty siten, että eri toimintoja vastaavat osat ovat saaneet luonteenomaisen yksilöl-

Korsu Karjalan kannaksella v. 1942 (suunnittelijana Ilmari Tapiovaara).

Dug-out on the Karelian Isthmus, 1942. Designed by Ilmari Tapiovaara.

his countryman Sigurd Lewerentz – along with Aalto – pointed towards a more varied and more sensitive trend.

As was pointed out in the almost immediate critical reaction in Finland, the architecture of the 1940s undeniably had a tendency to lapse into softness and petty material Romanticism, e.g. in church construction, while industrial buildings, silos and commercial buildings carried on the clear-cut directives of the Functionalism of the 1930s. Many Romantic traits do in fact seem superficial in retrospect; it is rather the continuity of architectural development that is clearly visible.

Many of the main problems of the previous decade were now tackled anew: housing production funded by state loans was finally started when Arava (the State Housing Board) was founded in the late 1940s, research on housing construction and on the functions of the apartment got under way. The post-war period of shortage played its own part in forcing the use of experimental building techniques and reforms. Thus, industrial building was seen as a necessary expedient for solving the housing question. However, Alvar Aalto in particular was concerned that technology should enjoy the status of servant, not master. Aalto's aim in the '40s was to develop 'flexible standardization', which would quarantee freedom of architecture. Finland could be a laboratory or a test range for new principles. These thoughts pointed far into the future, although few of them were actually implemented.

Aalto also sought the support of tradition, not for any national aims, but for these architectural principles, important not only to the rebuilding period but also for their general significance. We see this when he wrote of Karelian architecture in 1941 that the Karelian house was a flexibly growing group of buildings evolving from a central core that was modified according to current needs. Aalto also drew attention to "how beautifully the Karelian village, with its roofs ranging from gently sloping to steep, blends with the landscape". The free use of roof forms was now the ideal. The flat roof, which had emerged as a characteristic of white Functionalism, was also actually a means of freeing basic solutions from the binding influence of set roof forms; the aim was certainly not to create 'boxes'. "The architectural reform of our time has . . . decidedly striven for the liberation of architectural forms and thus for flexible architecture and town planning . . . The prime necessity for the latest renaissance is to replace the formulaic roof structure with a more flexible one, ranging from flat to steeper angles."

Essential characteristics of the best architecture of the 1940s are a living organization of space and contact with nature. Some decorative details or material effects which may seem a bit far-fetched are subordinated to a strong entity which blends in with the landscape. The spaces of even a small building are grouped so that the parts corresponding to different functions have received a characteristic individual form, and thus the medley of building elements can be flexibly fitted to the contours of the landscape on the building site. Such a tangibly natureoriented design principle had already emerged back in the 1930s.

More than any other architect, Aalto continued to shape his buildings in a free sculptural way; one example is the sawmill in Varkaus (now destroyed). In one sense, the postwar period of shortages meant a break: large building projects either did not exist or they were left on paper. Examples reflecting the aims of architecture are to be found in buildings of a more modest nature. There are carefully shaped details, even in the ascetic wooden houses. Particularly the wooden structures and joint forms developed by Aalto since the 1930s were a constant source of inspiration in the next few decades.

The harvest of the trends of previous decades was reaped in the 1950s when the meagreness of the post-war years gave

lisen muodon, ja näin eri rakennuksista syntyvä sikermä on joustavasti sovitettavissa rakennuspaikan ja maaston muotoihin. Tällainen kouriintuntuvasti luonnonläheinen sommitteluperiaate orasti jo 1930-luvulla.

Erityisesti Aalto jatkoi rakennustensa veistoksellista vapaata muotoilua, esimerkkinä Varkauden myöhemmin tuhoutunut sahalaitos. Yhdessä suhteessa pulakausi kuitenkin merkitsi katkoa: suuria rakennustehtäviä ei ollut tai ne jäivät paperille. Arkkitehtuurin pyrkimyksiä kuvastavat esimerkit on etsittävä varsin vaatimattomistakin kohteista. Muuten hyvin niukkailmeisissä puutaloissakin on usein huolella muotoiltuja yksityiskohtia. Varsinkin Aallon jo 1930-luvulta lähtien kehittämät puurakenteet ja niiden liitosmuodot olivat seuraavien vuosikymmenten ideoiden aarreaittoja.

Edellisten vuosikymmenten pyrkimysten tulokset korjattiin 1950-luvulla, kun niukkuuden kauden jälkeen siirryttiin entistä laajempaan asuntojen rakentamiseen ja nyt myös koulujen, sosiaalisia tehtäviä palvelevien laitosten sekä suurten julkisten rakennustehtävien pariin. Jälleenrakennustehtävissä yhdistynyt arkkitehtikunta osallistui nyt "kulttuurin jälleenrakentamiseen". Sodan tuhoista noussut Suomi esittäytyi maailmalle Helsingin olympiakisoissa vuonna 1952. Uudella arkkitehtuurilla oli tärkeä osa luotaessa kuvaa nykyaikaisesta edistyvästä maasta. Samantapainen optimismi ja luottamus tekniikan mahdollisuuksiin ihmisten hyödyksi valjastettuna, joka oli siivittänyt 1930-luvun arkkitehtuuria, kuvastuu myös 1950-luvun rakentamisessa. Heti vuosikymmenen alussa palattiin yleisesti lähelle funktionalismin selkeyden ja rakenteellisuuden ihanteita. Samalla arkkitehtuurin muotokieli ja materiaaliasteikko rikastuivat, ja pyrittiin myös yksilöllisyyteen, luonnonläheisyyteen ja inhimilliseen lämpöön.

Alvar Aalto loi 1950-luvun töissään uuden persoonallisen synteesin aikaisemmista pyrkimyksistä. Sosiaalisista asuntokysymyksistä ja teollisuuden rakennustehtävistä Aallon työn painopiste siirtyi nyt suuriin julkisiin rakennustehtäviin. Hän pyrki löytämään samalla monumentaalisen ja inhimillisen intiimin muodon yhteisöelämän rakennustehtäville, yhteisille symboleille. Punatiilestä tuli nyt Aallon töissä hallitseva julkisivumateriaali. Puhtaaksimuurattu punatiili oli tosin jo valkoisen funktionalismin aikana yleisesti ollut teollisuuslaitosten rakennusaineena. Jo monissa 1940-luvun suunnitelmissaan Aalto oli esittänyt tiilen käyttöä ja myös sommitellut vaihtelevia rakennusryhmiä kokoavan aukion tai pihan varaan. Esimerkkeinä voidaan mainita Ruotsiin tehty Avestan keskustasuunnitelma tai voittoisat kilpailuehdotukset, Forum Redivivum -suunnitelma kansaneläkelaitosta varten Helsinkiin tai Teknillisen korkeakoulun päärakennuksen suunnitelma Otaniemeen, ja tärkeänä toteutettuna työnä MIT:n jäntevästi kaartuva tiiliseinäinen dormitorio lähellä Bostonia Yhdysvalloissa.

Ensimmäinen kotimaassa toteutunut Aallon uuden kauden työ oli Säynätsalon kunnantalo, josta heti kun se 1950-luvun alussa valmistui, tuli uuden suomalaisen arkkitehtuurin kansainvälisestikin suosituin tunnusrakennus. Jyväskylän korkeakoulurakennusten ryhmän ja päärakennuksen suunnitelmat syntyivät pian Säynätsalon jälkeen. Nämä rakennukset vaikuttivat omalla tavallaan yhtä voimakkailta, suorastaan ilmestyksenomaisilta, kuin kansallisromantiikan tai toisaalta varhaisen funktionalismin pääteokset konsanaan.

Aallon arkkitehtuuri oli radikaalisti uutta, ja samalla se on jotenkin tuttua ja lähes arkaaista. Se sitoutuu pitkään eurooppalaiseen perinteeseen. Yhtenä merkittävänä voimanlähteenä Aallon töissä ovat olleet hänen nuoruutensa Italian kokemukset, jotka nyt tulivat esille uudessa alkuvoimaisessa muodossa. Italian vanhojen kaupunkien itsenäisen kansalaiselämän keskukset, piazzat ja kuntien yhteisen hallinnon ra-

way to largerscale housing construction and building projects involving schools, social buildings and large public buildings. The architect community, unified in the rebuilding effort, now participated in the 'rebuilding of culture'. Finland reborn from the ravages of war presented itself to the world at the Helsinki Olympics in 1952. The new architecture played an important role in creating the image of a modern, progressive country. The same sort of optimism and confidence in technology harnessed to benefit mankind that had fired the architecture of the 1930s is reflected in the architecture of the 1950s as well. At the beginning of the decade there was a general return to the basic principles of Functionalism – clarity and structurality. At the same time, the architectural language of form and material scale had become enriched, and individuality, proximity to nature and human warmth were added to the goals.

Alvar Aalto created a new personal synthesis of earlier trends in his works of the 1950s. From social housing questions and industrial building assignments he turned his attention to large public buildings. He attempted to find a form for community buildings – common symbols – which would be monumental and humanly intimate at the same time. Red brick became the dominant elevation material in Aalto's work. Red brick built fairface had indeed been a common material for industrial buildings in the period of white Functionalism. In many of his plans of the 1940s, Aalto had proposed the use of brick, and assembled diverse building groups around a central square or yard. Of the many examples, we could mention the plans for the town centre of Avesta, Sweden or the notable winning competition entries for the Forum Redivivum plan for Helsinki or the Helsinki University of Technology in Otaniemi, or, as a work of international importance, the undulating brick-walled MIT dormitory near Boston in the United States.

The first building of Aalto's new period to be constructed in Finland was the Säynätsalo town hall, built in the early 1950s, which quickly became the most popular emblem of new Finnish architecture, even internationally. The plans for the main building and building group of the University of Jyväskylä were completed soon after Säynätsalo. These buildings seemed as powerful, even as revelatory, as ever the main works of National Romanticism or even early Functionalism did.

Aalto's architecture was radically new but still archaic and somehow familiar. It is tied to a long European tradition. Aalto's Italian experiences, gathered in the youthful enthusiasm of the 1920s, lurk in the background, manifesting themselves in a new and powerful way. The centres of the life of the citizens in old Italian towns, the piazzas and public administration and assembly buildings, presented challenging models for the new building assignments of democracy.

Aalto's work was varied. While he was developing building groups growing from the landscape of inner Finland, he was designing elegant office buildings for the centre of Helsinki. Aalto also developed his strongly plastic interiors, such as the House of Culture concert hall in Helsinki, culminating in the interior of Vuoksenniska church.

Aalto was the undisputed top architect in whom the growing reputation of Finnish architecture was personified, but working alongside him was a large group of independent architects. Like so many other architects, Aarne Ervi and Viljo Revell had been Aalto's assistants for a while, and they had begun their own work in the 1930s. Ervi's sizable and diverse work seems almost effortlessly conceived in its naturalness. However, all his buildings have airy proportions and carefully planned graceful details. Most of the monumental power stations on the river Oulujoki and the employees' housing,

kennukset ja kokoontumistilat, olivat demokratian uusien rakennustehtävien haastavina vertailukohteina. Aallon työ oli monipuolista. Samanaikaisesti kun hän kehitteli Sisä-Suomen maisemasta kasvavia rakennusryhmiään, hän suunnitteli elegantteja liiketaloja Helsingin keskustaan. Aalto kehitti eteenpäin myös voimakkaan plastisia tilasommitelmiaan, tunnettuna esimerkkinä Kulttuuritalo Helsingissä ja huipentumana Vuoksenniskan kirkon interiöörit.

Jos Aalto kiistatta olikin johtava arkkitehti, johon suomalaisen arkkitehtuurin kasvava maine henkilöityi, hänen rinnallaan työskenteli itsenäisesti laaja joukko muita arkkitehteja. Aarne Ervi ja Viljo Revell olivat, kuten niin monet muutkin arkkitehdit, olleet jonkin aikaa Aallon avustajina, ja he olivat aloittaneet oman toimintansa jo 1930-luvulla. Ervin laaja ja monipuolinen arkkitehdin työ näyttää luontevuudessaan suorastaan vaivattomasti syntyneeltä. Kuitenkin hänen töissään on aina ilmavat suhteet ja huolitellut sirot yksityiskohdat. Pääosan Oulujoen monumentaalisista voimalaitoksista ja niihin liittyvistä sitäkin herkemmin luontoon sulautuvista asuntoryhmityksistä Ervi suunnitteli jo 1940-luvulla, ja ne kuuluvat suomalaisen arkkitehtuurin senaikaisten pyrkimysten parhaiten säilyneisiin esimerkkeihin. Yliopistorakennukset Turun Vesilinnanmäellä ja Helsingin empirekeskustan äärellä edustavat vastaavasti 1950-luvun uudistuvaa julkista rakentamista. Sekä Ervi että Revell olivat uudistusmielisiä ja osallistuivat rakennustekniikan kehittämiseen jo 1940-luvulta lähtien ja teollisen rakentamisen ensimmäisiin laajamittaisiin kokeiluihin 1950-luvulla.

Revell oli 1940-luvulla Liperin harjumaisemassa onnistunut niukoin voimavaroin luomaan yhden suomalaisen arkkitehtuurin hienoimmista luontoon liittyvistä rakennusryhmistä. Kun Teollisuuskeskus 1950-luvun alussa nousi Helsingin Eteläsatamaan, siitä tuli heti uuden suoralinjaisen suomalaisen arkkitehtuurin esikuva. Rationaalisuus ja reilu muoto, joka ei kuitenkaan sulkenut pois tiettyä karua lämpöä, oli tunnusomaista Revellin 1950-luvun töille. Kuitenkin joissakin Revellin varsinkin vanhaan kaupunkiympäristöön sijoittuvissa töissä 1950-luvun lopulta lähtien pyrkimys suurpiirteisyyteen johti ylisuureen mittakaavaan.

Aulis Blomstedt, syvällinen kulttuuripersoonallisuus ja rakennustaiteen perusteiden pohtija, oli myös aloittanut työnsä 1930-luvulla. Hän kehitteli 1940-luvun alusta lähtien joustavasti kasvavien ja koottavien, teolliseen valmistukseen soveltuvien talojen ideasuunnitelmia ja omistautui tutkimaan arkkitehtuuria palvelevia mitta- ja suhdejärjestelmiä. Blomstedtin arkkitehtuuri on lähellä alkuperäisen funktionalismin perusteita, tämä näkyy jo hänen 1940-ja 50-luvujen vaihteessa suunnittelemistaan kerrostaloista. Helsingin työväenopiston lisärakennus 1950-luvun lopulta on klassisen levollisena ja hioutuneena Blomstedtin ja samalla suomalaisen arkkitehtuurin keskeisimpien pyrkimysten yhteenveto.

Kaija ja Heikki Sirenin ensimmäisissä merkittävissä töissä 1950-luvulla suomalaisen arkkitehtuurin tavoitteet toteutuivat ytimekkäästi. Kansallisteatterin pieni näyttämö Helsingissä ja Otaniemen teekkarikylä, sen asunnot ja varsinkin kappeli, ovat maan 1900-luvun arkkitehtuurin klassikoita.

Tapiolan puutarhakaupungin alkuperäiset osat on yleisesti tunnustettu Suomen 1950-luvun arkkitehtuurin parhaaksi saavutukseksi laajempien, useiden arkkitehtien työn tuloksena syntyneiden kokonaisuuksien joukossa. Edellä Aallon rinnalla mainitut arkkitehdit olivat juuri Tapiolan tärkeimpien rakennusryhmien suunnittelijoina. Siellä monet ideat kiteytyivät: rakennussikermät liittyvät ehjästi pienimuotoiseen maisemaan ja sen metsäsaarekkeisiin, samalla kun taloissa on kokeiltu teollisia rakennusmenetelmiä.

Uudesta pohjoismaisesta arkkitehtuurista oli 1950-luvulle mennessä tullut kansainvälisestikin tunnettu käsite. Suo-

which blended so harmoniously with nature, were designed by Ervi in the 1940s. They remain the best preserved examples of the trends in Finnish architecture at the time. The university buildings on the Vesilinnanmäki hill in Turku and alongside the Empire centre in Helsinki represent the new public construction of the 1950s. Both Ervi and Revell were innovators; they participated in the development of construction techniques in the 1940s and in the first large-scale experiments in industrial building in the 1950s.

In the 1940s, Revell managed to create with meagre resources a group of buildings in Liperi unmatched in its integration with the surrounding countryside dominated by eskers and forests. When the Industrial Centre was erected in the South Harbour of Helsinki in the early 1950s, it immediately became the prime example of the trend towards clear-cut forms in Finnish architecture. Rationality and straightforwardness – not excluding a kind of rough warmth, however – was characteristic of Revell's work of the 1950s. However, one cannot help noticing how in some of Revell's buildings, especially those built in the late 1950s in old urban environments, his striving for the grand gesture led instead to megalomania of scale.

Aulis Blomstedt, a profound cultural personality who contemplated the basics of architecture, had also begun his work in the 1930s. From the early 1940s, he developed ideas for flexibly growing and easy to assemble houses suitable for industrial production, and dedicated himself to researching the dimensions and proportions used in architecture. Blomstedt's design is close to the fundamentals of the original Functionalism, as is obvious from the apartment blocks he designed in the late 1940s and early 1950s. The annexe of the Helsinki workers' institute, built in the late 1950s, is a Classically serene and polished work, a synopsis of the aims of Finnish architecture in general and of Blomstedt in particular.

Kaija and Heikki Siren's first noteworthy works in the 1950s presented a succinct realization of the ideals of Finnish architecture. The small stage of the Finnish National Theatre and the student village of Otaniemi, especially its chapel, are classics of 20th century architecture.

The early parts of Tapiola Garden City are recognized as the finest achievement of Finnish architecture of the 1950s in which large units were designed by several architects. Tapiola was fortunate in benefiting from the work of the architects mentioned above alongside Aalto. Many ideas were crystallized there: the clusters of houses blend with the landscape and the wooded islands, while the houses themselves are experiments in industrial construction techniques.

New Nordic architecture had become an internationally known concept by the 1950s. Finnish architecture was part of it, more ascetic and, thanks to Aalto at least, more individual than the rest. The work of the architects ranged from monumental commissions to the more modest everyday environment, in accordance with the traditions of past decades, and

Reima Pietilä: Suomen paviljonki Brysselin maailmannäyttelyssä 1958, julkisivu.

Reima Pietilä: The Finnish Pavilion at the Brussels world fair in 1958, elevation.

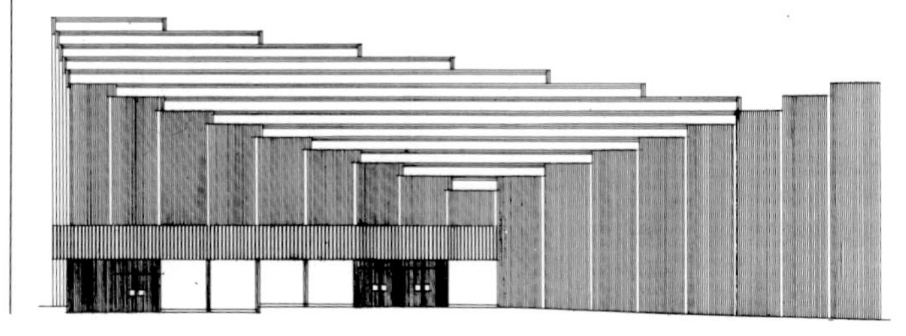

malainen arkkitehtuuri kuului siihen, muita vähän karumpana ja samalla ainakin Aallon ansiosta yksilöllisempänä. Arkkitehtien työ ulottui monumentaalitehtävistä aikaisempien vuosikymmenten perinteen mukaisesti myös vaatimattomampaan jokapäiväiseen ympäristöön ja yhtenäistä ja hyvää rakennustapaa edistävään valistustyöhön. Vaikka välimatka huipputeoksista tavalliseen ympäristöön säilyikin voidaan sanoa, että uusi arkkitehtuuri kasvoi Pohjoismaissa rakennuskulttuuriksi.

Valtava yhteiskunnallinen muutosprosessi, joka asteittain murtautui esiin 1950-luvun lopulta lähtien, muutti seuraavina vuosikymmeninä perusteellisesti myös rakentamisen ja arkkitehtuurin edellytyksiä. Taloudellinen murros ja väestön elinkeinorakenteen muutos tulivat Suomeen verraten myöhään, mutta sitäkin jyrkempinä. Kun vuonna 1950 kaksi kolmannesta suomalaisista eli maaseudulla, vuonna 1980 kolme neljästä suomalaisesta asui taajamassa. Kasvua ja määrää koskevat kysymykset hallitsivat. Yli miljoona uutta asuntoa eli kaksi kolmannesta kaikista niistä asunnoista, jotka maassa oli 1970-luvun lopussa, rakennettiin vuosina 1957–1978. On selvää, että suunnittelu joutui aivan uusien vaatimusten ja osittain odottamattomien ongelmien eteen.

Aikaisemmin yhtenäiseltä näyttänyt arkkitehtikunta hajautui nyt uusien paineiden alaisena. Samalla kun monet johtavat arkkitehdit jatkoivat yksilöllistä linjaansa, osa nuoremmista arkkitehdeista julisti, että uudet ongelmat edellyttävät uutta asennoitumista ja että uusiin vaatimuksiin on vastattava. Suurin osa arkkitehdeista joutui lopulta käytännössä työskentelemään laajan rakennustuotannon parissa yhä ahtaammiksi käyvien suunnitteluedellytysten alaisena.

Uudet ajatukset vaihtuivat nopeasti. Niitä ohjasivat tietoisuus nopeasta kasvusta, tekniikan vääjäämättömästä muutoksesta ja myös yleismaailmallisista, "globaaleista" ongelmista. Kreikkalaisen Doxiadiksen, amerikkalaisten Buckminster Fullerin, Papanekin tai MacLuhanin oppeja ja englantilaisen Archigram-ryhmän utooppisen teknisiä ideasuunnitelmia seurattiin 1960-luvun lopulla. "Suunnittelu on siirtymässä yksilöohjatusta ja intuitiivisesta kollektiiviseen, metodisesti kontrolloituun, erilliskohteen suunnittelusta yleisten järjestelmien ja struktuurien suunnitteluun sekä pysyvän ja lopullisen suunnittelusta kertakäyttöisen, muuttuvan ja varioivan suunnitteluun ... Taiteilija muuttaa norsunluutornista kontrollitorniin ja lakkaa muotoilemasta taide-esineitä ohjelmoidakseen itse ympäristöä taideteoksena." Nämä otteet suomalaisen arkkitehtuuri-ideologin Juhani Pallasmaan kirjoituksesta vuodelta 1967 kuvastavat tuon aikaisia näkemyksiä.

Jotkut kansainväliset pyrkimykset vaikuttivat pitkälläkin tähtäimellä. Arvostelu funktionalismin staattisuutta kohtaan synnytti yleispätevään rakenteeseen, joustavuuteen ja muunneltavuuteen, "avoimeen muotoon", pyrkivän strukturalismin. Keskittyvän yhteiskunnan yhä suuremmat laitokset, virastot, sairaalat ja varsinkin uudet yliopistot, olivat tämän suuntauksen luonnollisia kohteita. Tehtiin ideasuunnitelmia, jotka perustuivat monitasoisiin liikkennekoneistoihin, ja myös ilmastointi ja tekniset asennukset pyrittiin kytkemään järjestelmän osaksi. Nämä suunnitelmat jäivät suureksi osaksi paperille. Rinnan niiden kanssa kasvoivat esiin raskaat viralliset suunnittelu- ja toteuttamisjärjestelmät normistoineen.

Konstruktivismiksi nimitetyn, yksilökeskeisten muotojen sijasta rakenteellista kurinalaisuutta korostavan suuntauksen merkitys kasvoi Suomessa 1960-luvun lopulla ja 1970-luvun alkupuolella. Esikuvana oli varsinkin Mies van der Rohen Yhdysvalloissa kehittämä täsmällisen hiottu arkkitehtuuri. Joidenkin teollisuusrakennusten lisäksi suuntauksesta toteutui kuitenkin vain pieniä esimerkkejä asuintalojen ja lo-

to proselytizing for a unified and sound manner of building. Although the distance between major achievements and the overall environment remained, we are justified in claiming that it was in Scandinavia that the new architecture grew into a building culture.

The enormous social process of change that emerged by degrees after the late 1950s made for a fundamental change in building and architecture in the next decades. Changes in the structure of economy and the livelihood of the population came to Finland rather late, but all the more abruptly. In 1950 two-thirds of the population lived in rural districts, but in 1980 three out of four Finns lived in towns. Problems of growth and volume were paramount. Between 1957 and 1978 over a million new dwellings were built; this is two-thirds of the entire number of dwellings in the land at the end of the 1970s. Planning was, obviously, confronted with totally new demands and partly unforeseen problems.

Under these new pressures, the architectural community, previously so uniform, split up. While many leading architects pursued their own individual styles, some of the younger architects proclaimed that the new problems required a profound change of attitude, that the new demands had to be met. Many architects wound up working under ever narrower design constraints within the prolific construction industry.

New ideas came and went rapidly. They were guided by a consciousness of quick growth, of inexorable changes in technology and also of global problems. The ideas of Doxiadis in Greece, Buckminster Fuller, Papanek and MacLuhan in America and the utopian technical projects of the English Archigram group were influential in the late '60s. "Design is shifting from the individually-inspired and intuitive to the collective, the methodically controlled; from the design of a separate project to the design of general systems and structures; and from the design of the permanent and final to the design of the disposable, changing and variable. . . . The artist moves from the ivory tower to the control tower and ceases shaping objets d'art in order to form the environment itself as a work of art." These quotes from an article written in 1967 by the Finnish architecture ideologist Juhani Pallasmaa reflect the views of the time.

Some international trends had a long-term influence. Criticism of the static quality of Functionalism gave rise to Structuralism, which aimed at a universal structure, flexibility and variability, an 'open form'. The huge institutes, offices and hospitals of an increasingly centralized society, and especially the new universities, were natural objects for this new movement. Schemes were drafted based on multi-level traffic arrangements, and attempts were made to integrate air conditioning and technical installations into the architectural system. These

Eritasokaupungin järjestelmä: Tapiolan keskustasuunnitelman ehdotus v. 1970, perspektiivinen leikkaus. Arkkitehdit Juutilainen, Kairamo, Mikkola, Pallasmaa.

Split-level city plan: proposal for Tapiola centre, 1970, perspective section. Architects: Juutilainen, Kairamo, Mikkola, Pallasmaa.

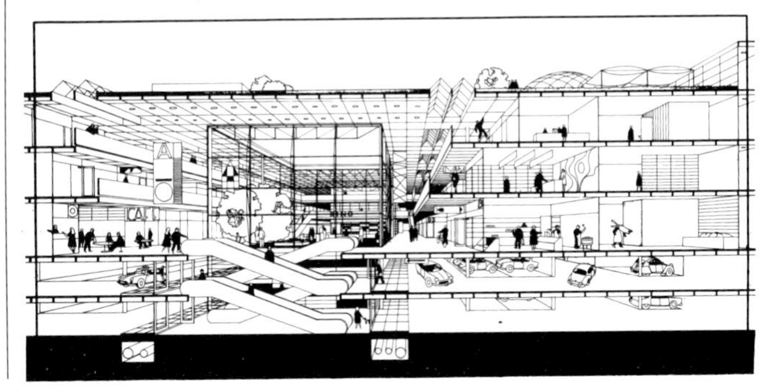

mamajojen rakennusjärjestelmistä. Eräänä esikuvana oli jälleen myös perinteinen japanilainen asuntoarkkitehtuuri. Rajoittuneen ja teknokraattisuuteen taipuvan alkuvaiheen jälkeen suuntauksen pohjalta syntyi 1970-luvun puolivälissä entistä vaihtelevampia rakennuksia. Siitä huolimatta näyttää siltä, että konstruktivismista nyt jo on yleisesti luovuttu.

Kansainvälinen kiinnostus kohdistui suomalaisen arkkitehtuurin yksilöllisyyteen. Alvar Aalto jatkoi kuolemaansa asti (1976) suurten rakennustehtävien, mm. useiden kaupunkien hallinto- ja kulttuurikeskusten toteuttamista, tunnetuimpana esimerkkinä Finlandia-talo Helsingissä.

Reima Pietilästä on tullut Aallon jälkeen tunnetuin suomalainen arkkitehti. Jo ensimmäisessä kansainvälistä huomiota herättäneessä rakennuksessaan, Suomen puurakenteisessa paviljongissa Brysselin maailmannäyttelyssä vuonna 1958, Pietilä osoitti hallitsevansa ylivertaisesti arkkitehtonisen muoto-opin. Sitä hän on myös tutkinut teoreettisissa harjoitelmissa ja näyttelyissä. Pietilän ratkaisut ovat yllättäviä ja vahvasti yksilöllisiä. Samalla kun Pietilä pyrkii tietoisesti löytämään suomalaisen tai paikallisen ilmeen rakennuksilleen, hän viittaa 1900-luvun alkukymmenten eurooppalaisen kokeellisen taiteen ja arkkitehtuurin "alkuräjähdykseen" arkkitehtuurinsa eräänä lähteenä. Myös Timo Penttilä on luonut kansainvälisen uran yksilöllisenä, suuret rakennustehtävät hallitsevana arkkitehtina.

Viljo Revellin toimisto oli tärkeä rationaalisen arkkitehtuurin työpaja 1950-luvulla, ja selkeä rakenteellinen linja on ollut monen siellä työskennelleen arkkitehtin lähtökohtana, kuten Osmo Lapon ja Bengt Lundstenin. Aarno Ruusuvuoren toimisto oli vastaavasti 1960-luvulla nuorten arkkitehtien tärkeä koulutuspaikka. Ruusuvuoren arkkitehtuuri oli Hyvinkään kirkossa (1961) rohkean kokeilevaa, myöhemmin hän on pyrkinyt selkeään järjestelmällisyyteen ja pelkistyneisiin hiottuihin yksityiskohtiin. Suomessakin pyrittiin etenkin 1960-luvulla käyttämään betonirakenteita ja puhtaaksivalettuja pintoja arkkitehtonisen ilmaisun keinoina. Kansainvälisiä esikuvia saatiin Le Corbusier'n myöhäisistä rakennuksista ja ns. brutalismista. Louis Kahnin arkkitehtuurista tuli myös 1960-luvulta lähtien tärkeä vaikutteiden lähde.

Suomalaisen arkkitehtuurin kiistelevien suuntausten ulkopuolella tuli jo 1960-luvulla esiin uusia arkkitehtonisia pyrkimyksiä, jotka viittasivat eteenpäin, samalla kun ne itsenäisesti jatkoivat Aallon ja muiden luomaa uuden arkkitehtuurin vapautunutta suuntaa. Juha Leiviskän elävää tilasuunnittelua ja valon käyttöä korostava sommitteluperiaate on yksilöllinen ja heti tunnistettavissa. Samalla jokainen hänen ratkaisunsa saa itsenäisen ainutkertaisen hahmonsa paikan ja ympäristön lähtökohdista. Eric Adlercreutzin työt liittyvät mittakaavaltaan ja materiaaleiltaan hienovaraisesti ympäristöönsä, kuten vanhoihin puutalokortteleihin tai kaupunkitiloihin.

Suomalainen arkkitehtuuri ei suinkaan tyrehtynyt 1960-luvulla ja 1970-luvun alussa. Kuitenkin vuosikymmenen vaihteen opiskelijakumouksissa esitetyt syytteet elitistisyydestä pitivät sikäli paikkansa, että arkkitehdit saivat keskittyä lähinnä vain yhteiskunnan juhlarakennuksiin, juuri niistä järjestettiin kilpailujakin. Suuri osa laajasta rakennustuotannosta jäi sen sijaan huolellisen suunnittelun ulkopuolelle.

Suomalainen arkkitehtuuri on 1970-luvun puolivälin jälkeen suuntautunut uudestaan. Se on vapautunut ja monipuolistunut, samalla kun eri pohjalta lähteneet suuntaukset ovat lähentyneet toisiaan. Aallon kuoleman jälkeen ei ole ketään selvästi johtavaa hahmoa, sen sijaan on monia rinnakkain työskenteleviä yksilöitä. Myös Aallon arkkitehtuuria on hänen kuolemansa jälkeen arvostettu entistä yksimielisemmin, ja sitä on nyt myös alettu vapaasti käyttää esikuvana.

Puhdasoppisuuden, suoraviivaisuuden ja usein liiankin

'Moduli 225' – teollisen puurakennejärjestelmän näyttelytalo Naantalissa v. 1970. Arkkitehdit Kristian Gullichsen ja Juhani Pallasmaa.

'Module 225', prefabricated wood structures, house from a Naantali exhibition in 1970. Architects: Kristian Gullichsen and Juhani Pallasmaa.

plans remained on paper for the most part. Along with these, stiff official systems for architectural design and execution emerged, with their respective standards.

In Finland, a movement called Constructivism, which emphasized structural discipline as opposed to individualistic forms, took on special significance in the late '60s and early '70s. The precise, polished architecture of Mies van der Rohe in America set an example. In practice, with the exception of some industrial installations, the buildings realized were small-scale houses and holiday cottages. Once again, these also followed traditional Japanese domestic architecture. After the limited and technocratic initial stage, more varied buildings were built along these lines in the late '70s. Constructivism has generally been abandoned today.

International interest was focused on the individual side of Finnish architecture. Alvar Aalto continued to realize large-scale projects until his death in 1976; they include the administrative and cultural centres of several cities, the best-known example being Finlandia Hall in Helsinki.

Reima Pietilä has become the best-known Finnish architect after Aalto. In his first internationally noted building, the wooden Finnish pavilion at the Brussels world fair in 1958, Pietilä showed his unmatched control of the architectural code of form. He has also examined this in theoretical studies and exhibitions. Pietilä's designs are surprising and powerfully individual. While he consciously strives to give a Finnish or local expression to his buildings, he refers to the 'Big Bang' of the experimental European architecture of the first decades of the 20th century as a source of his work. Timo Penttilä is another highly individual architect capable of large-scale projects who has built up an international career.

Viljo Revell's office was an important workshop of rational architecture in the '50s, and a clear constructive line has been the inheritance of many and architect employed there, such as Osmo Lappo and Bengt Lundsten. In the '60s, Aarno Ruusuvuori's office was a similarly important training ground for young architects. Ruusuvuori's design for Hyvinkää church (1961) was boldly experimental; since then he has aimed at plain, systematic design and polished detail. In the '60s, Finns also used concrete structures and concrete surfaces as a means of architectural expression. 'Brutalism' and the late works of Le Corbusier were international examples. Louis Kahn's architecture also became an important source of influence in the '60s.

Outside the feuding 'isms' of Finnish architecture, new ideas emerged in the '60s which, while they continued independently the relaxed kind of new architecture created by Aalto and others, also pointed forward. The design principles

karkeaksi kasvaneen mittakaavan sijalle on nyt tullut pyrkimys arkkitehtuurin keinovarojen vaihtelevaan käyttöön ja kohtuulliseen mittakaavaan. Äkillinen paluu kauan käyttämättöminä olleisiin ilmaisukeinoihin ja pienmittakaavaisuus ovat toisinaan johtaneet jo liialliseenkin levottomuuteen varsinkin uusissa kaupallisissa rakennuksissa ja ns. kovan rahan asuintaloissa. Optimistinen usko tulevaisuuteen ja tekniikan mahdollisuuksiin on horjunut. Nyt kannetaan huolta rakennusperinnöstä, samalla etsitään myös uusia siteitä historiaan. Kokemukset vanhojen rakennusten korjauksista ovat myös rikastuttaneet uutta arkkitehtuuria. Vanhoista rakennuksista löytyviä ilmaisukeinoja, monivivahteisia pintakäsittelyjä ja monivärisyyttä on sovellettu myös uusiin ratkaisuihin. Tässä kaikessa on seurattu myös kansainvälisiä pyrkimyksiä.

Jo 1960-luvulla esimerkiksi Christopher Alexanderin kääntyminen systeemisuunnittelusta tarkastelemaan ihmisten ja tilankäytön välisiä perustavia suhteita, tai Robert Venturin lempeä manifesti monimuotoisuudesta ja arkkitehtuurin ristiriidasta osoittivat Amerikasta käsin tietä uuteen, entistä runsasmuotoisempaan ja myös historian kokemuksille avoimeen suuntaan. Venturi toi esille myös Aallon merkityksen tässä yhteydessä.

Historiallisten muotojen pintapuoliseen käyttöön ja tehokeinoihin ei Suomessa juurikaan ole sorruttu. Ehkä arkkitehtuurin käytäntöön sidottu perinne on toiminut vastalääkkeenä. Kansainvälinen postmodernismi on kuitenkin myös hedelmöittänyt kehitystä: se on haastanut entistä vapautuneempaan arkkitehtonisten muotojen käyttöön ja ennen muuta tuonut taas esiin arkkitehtuurin merkityksen taidemuotona.

Ennen muuta Pietilä on Suomessa jatkanut yksilöllistä suuntaansa, joka varsinkin 1980-luvulla on omalla tavallaan lähestynyt uusia kansainvälisiä pyrkimyksiä. Konstruktivismin pohjalta ovat entistä monivivahteisempaan suuntaan siirtyneet Kristian Gullichsen, Erkki Kairamo ja Timo Vormala, jotka työskentelevät yhdessä, sekä Jan Söderlund. Heidän arkkitehtuurillaan on läheiset siteet myös funktionalismin selkeisiin perinteisiin, ja varsinkin Kairamon töillä 1920–30-lukujen Hollantiin. Arto Sipinen sekä yhdessä työskentelevät Pekka Helin ja Tuomo Siitonen ovat myös hallitun konstruktivismin pohjalta siirtyneet yksilöllisempään suuntaan monissa kilpailuvoittoihin perustuvissa töissään.

Oulussa on noussut esiin suuntaus, joka korostaa paikallisia perinteitä ja erityispiirteitä, samalla kun se auliisti on ottanut vastaan uusimpia kansainvälisiä vaikutteita. Oulun seudulla myös rakennuttajat ovat osoittaneet kiinnostusta uuteen arkkitehtuuriin ja luoneet toteutusedellytykset monille töille.

Uusimmassa suomalaisessa arkkitehtuurissa – samalla kun se on kehittänyt edelleen monia tämän vuosisadan arkkitehtuurin keskeisiä periaatteita – on näkyvissä myös omintakeisia piirteitä, ja ne ovat myös herättäneet kansainvälistä kiinnostusta. Itsenäisiä suuntia osoittavat ennen muita Juha Leiviskän ja Kari Järvisen työt. Selvästi omaperäistä on myös Simo Paavilaisen arkkitehtuuri. Näiden, samoin kun heitä lähellä olevien muiden suunnittelijoiden töissä on näkyvissä eräänlainen suomalaisen arkkitehtuurin peruslinja ja perinne: rakennukset muodostavat eläviä, paikasta ja ympäristöstä kasvavia rakennusryhmiä.

Onko Suomen 1900-luvun arkkitehtuuri tietoisen kansallista? Ei varmastikaan, kaikissa merkittävissä vaiheissa on otettu avoimesti vastaan kansainvälisiä vaikutteita. Ehkä juuri kansainvälisten vaikutteiden ennakkoluuloton omaksuminen on tehnyt arkkitehtuurista yhden Suomen johtavista taidemuo-

of Juha Leiviskä, which utilize dynamic spatial planning and the use of light, are highly personal and immediately recognizable. Each one of his designs also takes its unique, independent form from the site and setting. The work of Eric Adlercreutz uses some of the approaches of the new architecture while in scale and materials it blends in discreetly with old wooden houses or urban areas.

Finnish architecture did not dry up in the late '60s and early '70s. However, the accusations of élitism made during the student revolts at the turn of the decade were true in the sense that it was easy for architects to concentrate on society's prestige buildings: competitions were arranged for their design. Most construction was not covered by such meticulous planning.

Finnish architecture re-oriented itself in the late '70s. It became more relaxed and varied, while the divergent movements moved close to one another. Since Aalto's death there has been no single leading figure; instead, there are many individuals working side by side. Aalto's architecture has also come to be appreciated more unanimously after his death, and it has also been used as an example.

Dogmaticism, rectilinear forms and (sometimes) grandiose scale have now been replaced by reasonable scale and varied use of architectural resources. In some cases, small scale and the sudden return to long unused forms of expression led to an unnecessary restlessness, especially in the design of housing. Optimistic faith in the future and the potential of technology has been shaken. Old buildings are now cherished, but new ties with history are also sought. Fresh experience with the renovation of old buildings has also enriched the new architecture. The diverse means of expression and wide variety of surface treatments found in old buildings have been applied to new designs. All this has also followed international trends.

In the '60s, Christopher Alexander's turn from system design to examining the relationships between man and use of space, and Robert Venturi's gentle manifesto on complexity and contradiction in architecture pointed the way in America towards greater variety than ever and openness to historical experience. Venturi also pointed out Aalto's significance in this context.

What about Finland's relationship with international Post-Modern architecture? Finns have not shown tendencies towards a superficial use of historical forms and effects. Perhaps the pragmatic architectural tradition has acted as an antidote. However, Post-Modernism has also contributed to progress: it has liberated the use of architectural form and, above all, reinstated architecture as an art form.

In Finland, it is primarily Pietilä who has persisted in following his own individual style; in the '80s especially, this has come closer to new international trends. Kristian Gullichsen, Erkki Kairamo and Timo Vormala, who work together, and Jan Söderlund have all moved from Constructivism towards a more many-faceted style. Their architecture also has close ties with the resonant traditions of Functionalism, and, especially in the case of Kairamo's architecture, with the Netherlands of the '20s and '30s. Arto Sipinen and the team of Pekka Helin and Tuomo Siitonen have also progressed from relaxed Constructivism towards individual styles in their many winning entries to competitions.

Oulu has witnessed the rise of a movement that emphasizes special local characteristics while openly following new international influences. In the Oulu area, clients have also shown an interest in the new architecture and created opportunities for many designs to be realized.

As well as furthering many of the central principles of 20th century architecture, new Finnish architecture also contains original elements. These, too, have attracted international

doista. Varsinkin maailmansotien välisenä aikana arkkitehtuurilla – samoin kuin suomenruotsalaisella runoudella – oli suorat yhteydet yleiseurooppalaisen kulttuurin eturintamaan, kun suomalainen kulttuuri monella muulla alueella itseriittoisesti sulkeutui. Silti suomalainen arkkitehtuuri on kiistämättä vahvasti omaperäistä. Kansainväliset vaikutteet on vähitellen suodatettu paikalliseen maaperään.

Pohjoismaisella vuorovaikutuksella on ollut korvaamaton merkitys. Koko vuosisadan alkupuolen ajan ja vielä sen jälkeenkin myös suomalaiset ovat kuuluneet pohjoismaisten arkkitehtien yhteisöön. Yhteisissä kokouksissa ja henkilökohtaisissa tapaamisissa on vaihdettu kokemuksia, joita on saatu samankaltaisissa olosuhteissa.

Suomi on ollut myös antavana osapuolena. Näin oli vuosisadan vaihteessa. Silloin kansainväliset vaikutteet omaksuttiin nopeasti. Samalla suomalaista kansallisromantiikan arkkitehtuuria pidettiin myös radikaalina ja sitä seurattiin muissakin maissa. Saarisen ura on kuuluisa esimerkki Suomen arkkitehtuurin kansainvälisestä vaikutuksesta. Aalto on tullut vieläkin tunnetummaksi, häntä on seurattu universaalisena ja syvällisenä arkkitehtuurin uudistajana, ja samalla Aallon arkkitehtuuri on koettu luonteeltaan vahvasti suomalaiseksi. Pohjoismaissa Aallon arkkitehtuurilla on ollut vaikutusta etenkin Tanskassa.

Viime vuosikymmeninä kansainväliset vaikutteet ovat tulleet nopeasti, mutta usein sulaneet hitaasti. Alituisesti ailahtelevista ihanteista jää helposti jäljelle vain pintapiirteitä. Yhtenäinen rakennuskulttuuri ei ole ottanut syntyäkseen. Vaihtuvien ideoiden mukaan on useinkin toteutunut ympäristön katkelmia, jotka kohta jälleen on hylätty.

Ilmiö on kansainvälinen. Nopean tiedonvälityksen yhteiskunnassa arkkitehtuurin alallakin uutuuksien metsästyksessä nousee esiin virtauksia, jotka ovat paremminkin muoteja kuin hitaasti kiteytyviä tyylisuuntia. Kansainvälisyyteen liittyy nykyisin myös ennenäkemätön yhdensuuntaistavan massakulttuurin paine. Silti ei suomalainenkaan arkkitehtuuri olisi voinut sulkeutua kansainvälisiltä yhteyksiltä. Sitä vastoin kysymys paikallisten erityispiirteiden huomioon ottamisesta on noussut keskeiseksi, varsinkin viime vuosikymmenen puolivälistä lähtien.

Suomalaisen 1900-luvun arkkitehtuurin vahva puoli on ollut uuden puolesta taistelussa. Siinä voidaan nähdä optimistinen pyrkimys tekniikan ja uusien rakennusmuotojen hyväksikäyttöön nuoren maan ja nopeasti muuttuvan yhteiskunnan yhteisten rakentamisongelmien ratkaisemiseksi. Samalla huoli vanhasta ympäristöstä on jäänyt vähemmälle huomiolle. Varsinkin 1950- ja 1960-lukujen kasvukaudella suhtauduttiin arkkitehtienkin keskuudessa usein hyvinkin ylimielisesti vanhoihin rakennuksiin ja ympäristöihin. Vanhan rakennuskulttuurin puolestapuhujat jäivät yksinäisiksi. Onhan tosin suuri osa Suomen vanhasta rakennuskannasta ollut vaatimatonta, mutta myös solidia rakennuskantaa ja kaupunkiympäristöä on suunnitelmallisesti tuhottu.

Juuri se, mikä on ollut Suomen kulttuurimaisemalle tyypillisintä – maaseudun kylät ja talot, varhaisen teollisuuden alueet, puutalokaupunginosat – on myös pahimmin kärsinyt. Väljästi rakennettuja puukaupunkeja pidettiin vielä 1930-luvulla monessa suhteessa ihanteellisina asumisympäristöinä. Niissä oli sitä valoa, ilmaa ja vehreyttä, jota uusiltakin asuntoalueilta vaadittiin. Taloudellisen nousukauden mukana asenteet muuttuivat 1950- ja 1960-luvuilla. Suuri osa Suomen kaupunkien puutaloalueista sai uudet kaavasuunnitelmat, jotka eivät ainoastaan pakottaneet purkamaan puutalot, vaan jotka tähtäsivät myös koko kaupunkirakenteen uudistamiseen. Kansainvälisiä, ylitiheästi rakennettujen slummialueiden saneeraukseen tarkoitettuja suunnitteluperiaatteita sovellettiin täällä onnettomasti aivan toisenlaisiin olosuhteisiin.

interest. Juha Leiviskä and Kari Järvinen show a distinct independence of style. Very original, too, is the architecture of Simo Paavilainen. Their work, with that of other designers close to them, reflects the basic principles and traditions of Finnish architecture: the buildings form dynamic groups evolving from the site and setting.

Is Finnish 20th century architecture consciously national? Hardly. International influences have been eagerly adopted at all significant stages. This has, in fact, been an important condition for development. Perhaps, indeed, it is the unprejudiced assimilation of international influences which has made architecture one of the leading art forms in Finland. In the inter-war period, architecture, like Finnish poetry in Swedish, had direct contacts with the cultural vanguard in Europe in general, whereas in many other areas Finnish culture withdrew self-sufficiently into itself. Still, Finnish architecture undeniably has its own specific quality; international influences have been gradually assimilated and adapted to the local soil.

Relations with the rest of Scandinavia have had an important part in this. Throughout the first half of the century, and even after that, Finnish architects belonged to the community of Nordic architects. Experiences acquired in similar circumstances were exchanged at congresses and personal meetings. This Nordic forum is an important architectural tradition.

Finland has also been a contributor. At the turn of the century, international influences were quickly accepted, but Finnish National Romantic architecture was regarded as radical and attracted international attention as well. Saarinen's international work is, of course, a well-known example of the influence of Finnish architecture. Aalto has been seen as a universal and profound reformer of architecture, and his architecture is regarded as powerfully Finnish in character. In Scandinavia, Aalto's architecture has been particularly influential in Denmark.

In the last few decades, influences have reached Finland quickly but have been slow to digest. Continually fluctuating ideals tend to leave only surface marks behind. No unified building style has emerged. Changing ideas have produced bits and pieces here and there, soon to be abandoned.

This phenomenon is international. In a society of rapid communications, the search for novelty in architecture, too, results in trends that are passing fashions rather than slowly crystallizing styles. Being international nowadays brings with it the enormous pressure of a uniform mass culture. Still, Finnish architecture could not have cut itself off from international contacts. Instead, the identification of special local characteristics and the rediscovery of Finnish tradition have become crucial, especially since the latter half of the '70s.

Renewal is the strength of 20th century Finnish architecture. It shows an optimistic tendency to use technology and new forms of building to solve the building problems of a young nation and a rapidly developing society. However, it must be said that concern for the old environment has waned. Especially in the growth period of the '50s and '60s, even architects viewed old buildings and milieux with scorn. The defenders of old architecture were few and far between. Naturally, a large part of older Finnish architecture is rather modest, but solid buildings and city areas have also been methodically destroyed.

What is most typical of the Finnish cultural scene – the country houses and villages, the early industrial areas and the woodbuilt town areas – has also suffered the most. In the '30s, the spaciously constructed old wooden towns were seen as an ideal place to live in many ways. They had the light, air and greenery required of new housing estates. Attitudes changed

Harvassa Euroopan maassa rakennettu ympäristö on siten muuttunut yhtä jyrkästi kuin Suomessa. Tässä perinteet ovat todella konkreettisesti katkenneet. Ympäristö on usein juuretonta. Vanha rakennuskanta on monin paikoin jäänyt irrallisiksi katkelmiksi. Sitäkin taustaa vasten on ymmärrettävää, että uusimmassa arkkitehtuurissa pyritään löytämään uudestaan oma perinne.

Tärkeäksi on ensinnäkin tullut huoli vielä säilyneestä rakennusperinnöstä, toisin sanoen vanhan rakennuskannan kunnossapito ja korjaus sekä uuden rakentamisen luonteva liittäminen vanhaan ympäristöön. Toinen ajankohtainen keskustelunaihe on perinteen hyväksikäyttö uudessa rakentamisessa. Silloin tosin, kun perinteeseen on yritetty "palata" vanhoja pintamuotoja ja tyylipiirteitä soveltamalla, kuten monissa markkinoille ilmestyneissä uusissa pientalotyypeissä, tulokset eivät ole olleet vakuuttavia. Kokonaan toisenlaiseen rakentamistapaan ja käsityötaitoon perustuvat rakennusmuodot eivät noin vaan ole siirrettävissä uuteen teolliseen rakennustuotantoon.

Nopeat ja jyrkätkin ihanteiden muutokset ovat siis olleet silmiinpistäviä suomalaisessa 1900-luvun arkkitehtuurissa. Eräänlaisena pohjavirtana on kuitenkin nähtävissä myös uuden arkitehtuurin yhtenäinen pyrkimys. Voidaan jopa sanoa, että siinä on tämän maan rakennustaiteen tärkein perinne.

Suomalainen arkkitehtuuri on käytäntöön sidottua: siinä sen voima, ja joskus myös sen heikkous. Niukat voimavarat, saatavissa olevat materiaalit, ankara luonto sanelivat rakentamisen ehdot esiteollisessa Suomessa. Mikä tehtiin, se tehtiin hyvin. Vaikka vuosisadan alussa vallinnut käsityötaito ja luonnonmateriaalien ihannointi sittemmin saivatkin jäädä sivummalle ja välillä lähes tyystin väistyä uusiin rakennustapoihin perustuvien ihanteiden tieltä, tuntuma rakentamisen käytäntöön, materiaaleihin ja yksityiskohtaiseen viimeistelyyn on pitkään säilynyt, ainakin viime vuosikymmeniin asti. Rakentamisen ammattitaito on ollut myös edellytyksenä suomalaisen rakennustaiteen pyrkimyksille selkeyteen ja muodon täsmällisyyteen.

Suunnittelu on yleensä perustunut vankasti rakennusohjelman käytännön vaatimuksiin, silloinkin kun muodot ovat olleet vahvasti ilmaisuvoimaiset. Siinä on yksi Alvar Aallonkin arkkitehtuurin lähtökohta – siinä mielessä Aallon arkkitehtuuri on funktionalistista, vaikka muodot voivat olla hyvinkin yksilölliset.

Suomessa ei juurikaan ole saanut jalansijaa arkkitehtuuri, jossa taiteellisuus keskittyy tehtävästä irrallisiin muotoihin tai jolle riittää julkaistuksi tuleminen paperille piirrettynä. Arkkitehtuurin arvo mitataan Suomessa toteutetuista töistä.

Arkkitehtuuri saa luonnollisen elinvoimansa käytännön tarpeista ja tehtävistä, niissä on rakennustaiteen "sosiaalinen tilaus". Arkkitehtuuri on myös taiteista käytäntöön sidotuin. Käytännön vaatimukset, rakentamista ohjaavat määräykset ja rajoitukset kasvavat kuitenkin helposti ylivoimaiseksi painolastiksi, jonka alta luova työ ei jaksa ponnistaa esille. Näin on käynyt usein viime vuosikymmenten aikana, kun rakentamisen ehdot ovat tulleet yhä ahtaammiksi. Suuri osa rakentamista onkin ollut pelkkää käytännön rakennustoimintaa, rakennusten tuotantoa.

Jos kosketus käytännön välttämättömyyteen on ollut vahva, on yksinkertaisuus, joskus jopa askeettisuus, samalla nähty myös uuden arkkitehtuurin perimmäiseksi velvotteeksi: välttämättömyydestä on tehtävä hyve. Se ei kuitenkaan ole estänyt rikkaiden monisäikeisten muotojen esiintymistä. Jo vuosisadan alun Suomen taiteille suotuisassa ilmapiirissä arkkitehtuuria uudistettiin vahvan yksilöllisen mielikuvituksen vapaudella. Ja Aalto työskenteli yhä uudestaan arkkitehtuurin vapautuksen puolesta. "Nerokkaan huoneka-

with the economic boom of the '50s and '60s. New plans were drawn up for most of the wooden housing areas in Finnish town centres which not only required the demolition of the wooden houses, but also aimed at reforming the entire urban structure. International design principles intended for renovating overcrowded slums were applied here to totally different circumstances, with disastrous results.

There are few countries in Europe in which the architectural environment has changed as abruptly as in Finland. There has truly been a break with tradition. Our surroundings are often rootless; the old buildings have been reduced to isolated fragments. That the main aim of the latest architecture is to create new ties with tradition is understandable in this context.

Concern for the architectural heritage is now of prime importance: old buildings must be maintained and repaired, and new construction must relate naturally to the old environment.

Another current topic is the use of tradition in new construction. A 'return to tradition' using old surface forms and characteristics of style, as in several new types of small house on the market, seldom produces convincing results. Forms based on a totally different method of construction and on craftsmanship cannot be freely transferred to our new prefabricated housing production.

Quick and abrupt changes of ideals have therefore been evident in Finnish 20th century architecture. In the background, or at the bottom of all this, there is, however, a broader tendency toward homogeneity. Pointing out his continuity is the main approach in this book. We can also say that the most important heritage of Finnish architecture lies in the best intentions and achievements of the new 20th century architecture.

Finnish architecture has always been very pragmatic. In this lies its strength and – sometimes – also its weakness. The meagre resources, limited materials and harsh climate dictated the conditions of building in pre-industrial Finland. What was done had to be done well. Although the craftsmanship and admiration for natural materials predominant at the start of the century was later of only marginal importance, and was sometimes completely superceded by an infatuation with new methods of construction, a feeling for practical aspects, materials and careful finish remained. Professionalism has been visible in building up to the past few decades, and has been a requirement for the aims of Finnish architecture: clarity and exactness of form.

Design is usually firmly based on the practical requirements of the building programme, even when the forms are highly expressive. This is one major feature of Alvar Aalto's architecture; in this sense Aalto's architecture is Functionalist, though the forms may be highly individual.

The kind of architecture which concentrates on forms isolated from function or for which it is enough to be published on paper has never gained a foothold in Finland. The value of architecture here is measured by the finished product.

The natural life force of architecture comes from practical needs and assignments; they embody the 'social commission'. Architecture is also the most pragmatic of all the arts. Practical demands, building regulations and constraints easily become an overbearing burden from which creative work does not have the strength to escape. This has often happened in the past few decades, since the conditions for building have become more and more constricting. The majority of all construction has merely been practical building, housing production.

If a feeling for the practical necessities is strong, simplicity – even ascetism – is also seen as a fundamental duty of the new architecture: necessity must be turned into a virtue. However, just as in Denmark, where a solid general building culture has

lutekniikkansa mutta myös koko perussuuntauksensa vuoksi Alvar Aaltoa tullaan varmaankin vielä nimittämään nykyaikaisen kokeellisen arkkitehtuurin isäksi", kirjoitti Aulis Blomstedt jo v. 1947. Aallon johdonmukainen biologiaa korostava peruslinja onkin tullut yhä merkittämämmäksi. Myös Yrjö Lindegrenin arkkitehtuuri oli kehittymässä omille uusille teille kun hänen työnsä katkesi kesken. Varsinkin Reima Pietilä on jatkanut kokeilevan rakennustaiteen perinteitä ja kartoittanut arkkitehtuurin tutkimattomia rajoja. Uuden arkkitehtuurin kehittämisessä vapaaseen yksilölliseen suuntaan on Suomen panos kansainvälisessäkin kehityksessä.

Käytännöllisyyden perinne on Suomessa siinäkin mielessä ollut hallitsevana, että värikkäät manifestit ja haastavat ideasuunnitelmat ovat olleet harvinaisia. Näyttäähän funktionalismin läpimurtokin tapahtuneen melko vähällä vastuksella ja ilman suurta polemiikkia. Suomalainen arkkitehtuuri ei kuitenkaan ole kehittynyt henkisessä tyhjiössä. Se käy ilmi tutustuttaessa vuosisadan alkupuolella kirjoitettuihin Frosteruksen ja Strengellin taistelukirjoituksiin ja tutkielmiin tai Hilding Ekelundin ja P.E. Blomstedtin kantaa ottaviin kirjoituksiin funktionalismin läpimurron vuosina. Nils Erik Wickbergin syvälliset kulttuurikriittiset kirjoitukset 1930-luvulta lähtien ovat näyttäneet tietä sekä vanhan rakennuskulttuurin arvostukselle että uuden arkkitehtuurin vapaudelle. Aulis Blomstedt, Keijo Petäjä, ja sitten ehkä ahkerimmin Reima Pietilä, ovat eritelleet arkkitehtuurin perusteita. Kirmo Mikkola ja Juhani Pallasmaa ovat teoreettisissa kirjoituksissaan ja katsauksissaan puolestaan kantaneet vastuuta arkkitehtuurin suuntauksista.

Onko Alvar Aalto nostettu liikaa etualalle? Onhan hänen rinnallaan ollut suuri joukko muita arkkitehteja, jotka ovat vieneet suomalaista rakennustaidetta eteenpäin. Aalto on 1930-luvulta eteenpäin kuitenkin ollut sekä johtava taiteilija että rakennuskulttuurin kysymysten puolesta taistelija. Aalto ei ollut ensi sijassa tyyliä luova oppi-isä jota jäljiteltiin, hän ei luonut ahtaassa mielessä koulukuntaa. Sen sijaan hän oli ammatillinen esikuva. Hänen työnsä olivat hyvän rakentamisen mittapuuna, haasteena ja inspiraation lähteenä muille. Arkkitehtien ammatillisena ihanteena on parhaimmillaan ollut toimiminen yhteiskunnan yhteisen hyvän puolesta. Aaltokin yhdisti yksilöllisen luovan työn ja yleishyödyllisen toiminnan. Hän onkin ollut arkkitehtien joukossa myös ahkerimpia kirjoittajia, joka syvällisten rakennustaiteellisten ajatusten rinnalla on kantanut huolta myös yleisesti hyvästä rakennustavasta. Näin oli varsinkin jälleenrakennuksen kaudella. Kuva arkkitehdista, joka puhuu vain rakennettujen töittensä kautta, on syntynyt vasta Aallon viimeisiltä, suuriin julkisiin rakennustehtäviin keskittymisen vuosilta.

Hyvän arkiympäristön luominen kaikille, on ollut Suomessa ja kaikissa Pohjoismaissa lähes koko tämän vuosisadan ajan vallinnut arkkitehtuurin ja taideteollisuuden ihanne, jonka yhteisenä tunnuksena voisi olla "vackrare vardagsvara", ruotsalaisen Gregor Paulssonin iskulause vuodelta 1919. Asuinympäristön suunnittelu on ollut suomalaisen arkkitehtuurin päätehtävänä 1900-luvulla. Siten pyrkimyksestä ratkaista asuntokysymys syntyy suomalaisen eteenpäin suuntautuvan rakentamisen "suuri linja".

Sosiaalisista rakentamisen kysymyksistä lähteville kansainvälisille suuntauksille, jotka huipentuivat funktionalismiin, löytyi Suomesta vastakaikua. On muistettava, että Suomi vasta äskettäin on vaurastunut, sillä vuosisadan alussa se oli tavallaan vielä kehitysmaa. Mannermaisten suurten kivikaupunkien ahtaita slummeja ei täällä tosin ollut. Suuresta enemmistöstä, maaseudun väestöstä sitä vastoin lähes puolet oli vailla omaa kotia, ja teollisuustyöväestö asui ahtaasti hellahuoneissa.

also bred significant individual architects like Jörn Utzon, this has not prevented the presence of richer, more varied forms. In the favourable artistic climate of Finland at the turn of the century, architecture was revitalized with the freedom of the individual imagination. Aalto strove again and again for the liberation of architecture. "Because of his ingenious furniture technology, but also because of his general style, Alvar Aalto will doubtless be dubbed the father of modern experimental architecture," wrote Aulis Blomstedt as early as 1947. Aalto's logical biological basic approach has, in fact, acquired more and more importance. Yrjö Lindegren's architecture was also taking a new turn when his work came to a premature end. Reima Pietilä, above all, has continued the tradition of experimental architecture and charted the unexplored frontiers of architectural design. The development of the new architecture in a freer, more individual direction is Finland's contribution to international development.

The tradition of practicality has also dominated in Finland in the sense that there are few colourful manifestos and challenging ideas. The breakthrough of Functionalism seems to have taken place without much resistance or public debate. However, Finnish architecture has by no means developed in a spiritual vacuum. This is evident from the militant articles and studies of the turn of the century by Frosterus and Strengell, and Hilding Ekelund's and P.E. Blomstedt's opinionated writings in the breakthrough years of Functionalism – Blomstedt's studies on city planning in Helsinki are still valid Nils Erik Wickberg's profound critical articles from the '30s on have paved the way both for respect for old building heritage and for the freedom of the new architecture. Aulis Blomstedt, Keijo Petäjä and later most intensely, perhaps, Reima Pietilä have all examined the basic principles of architecture, and Kirmo Mikkola and Juhani Pallasmaa have in their theoretical articles and reviews helped carry the responsibility for architectural developments.

It may well be asked whether Alvar Aalto has been given undue prominence in any survey of Finnish architects. There were many architects working alongside him who have taken Finnish architecture forward. However, from the '30s onwards Aalto was both a leading artist and a leading militant in the debate on questions of building culture. Aalto was not, however, primarily the head of a 'school' copying his work; instead, he was a professional example. His work was the measure of good construction, a source of challenge and inspiration for others. At its best the professional ideal of architects is to act for the common good of society. Aalto also combined individual creative work with public activity. He was one of the most prolific writers among all architects, and, alongside propounding his profound architectural ideas, he also worried about good building practice in general, especially in the reconstruction era. The image of an architect communicating only through his built work was not created until Aalto's final years, when he concentrated on large public construction projects.

Creating a good everyday environment for everyone has been the ideal of architecture and the applied arts in Finland and all the Nordic countries for nearly the whole of this century. Its common slogan could be "vackrare vardagsvara" ('more beautiful everydaythings'), coined by the Swede Gregor Paulsson in 1919. Design of living environments has been a main task of Finnish architecture in the 20th century. Thus the attempt to solve the housing problem became the 'guiding light' of Finnish progressive architecture.

International movements stemming from social housing questions and culminating in Functionalism were also powerfully reflected in Finland. It must be remembered that economic prosperity came to Finland only rather recently; at the turn of the century it was, in a sense, a developing country, although

Sosiaalisen asuntorakentamisen juuret ovat 1800-luvun filantrooppisissa pyrkimyksissä, ja työväen asuntoyhtiöt olivat sen ensimmäisiä toteutuksia. Asuntoreformin ja yleishyödyllisen rakentamisen aatteet vakiintuivat 1910-luvulla. Vallilasta ja Käpylästä tuli Helsingissä ensimmäiset tärkeät kokeilukohteet. Funktionalismin kantavat ihanteet jäivät sitten kuitenkin suureksi osaksi paperille, kun valtaosa asuntorakentamisesta kaupungeissa joutui keinottelijoiden käsiin. Joistakin teollisuuslaitosten asuntoalueista saatiin 1930-luvulla Suomessa aikaan ensimmäiset vastineet saksalaisen funktionalismin Siedlungeille. Tärkein esimerkki oli Sunila, mutta myös muualla, kuten Kaukopäässä, toteutettiin yhtenäisiä, läpikotaisin suunniteltuja asuntoalueita. Helsingin vanhasta v. 1939 aloitetusta Olympiakylästä tuli Suomen ensimmäinen laaja yhtenäinen uudenaikainen asuntoalue kaupunkioloissa. Se oli myös lopultakin käyntiin saadun yleishyödyllisen rakentamisen ensimmäinen suuri kohde.

Jälleenrakennuskauden kiireellisimmän asutuskauden jälkeen 1940-luvun lopulla käynnistyi vihdoin myös valtion asuntolainoitus, ja tämän ns. Arava-järjestelmän varassa rakennettiin suuri osa 1950-luvun tyypillisimmistä asuntoalueista ja ensimmäisistä lähiöistä.

Asuntorakentamisen valtavan kasvun kausi oli 1960- ja vielä 1970-luvuilla. On laskettu, että v. 1980 joka kolmas suomalainen asui kymmentä vuotta uudemmassa asunnossa. Pyrkimykset hyvän asuinympäristön aikaansaamiseksi jäivät kuitenkin alakynteen määrään ja vauhtiin tähtäävässä asuntotuotannossa. Optimistisista 1950-luvun kokeiluista ja kehittämistyöstä huolimatta elementtirakentamisesta tulikin karkeata, kun rakennusteollisuus keskittyi raskaisiin ja joustamattomiin rakennusjärjestelmiin. Ilmiö on tuttu ja yleismaailmallinen. Suomessa se nopeasti ja laajasti toteutuneena vain vaikuttaa niin totaaliselta pienen maan idyllisiin oloihin ja rakentamisen aikaisempaan kohtuulliseen mittakaavaan verrattuna. On kuitenkin myös syntynyt mallikelpoisia uusia asuntoryhmityksiä – ja olivathan sellaiset myös monissa aikaisemmissa vaiheissa sittenkin jääneet vain näkyvimmiksi erikoistapauksiksi. Pahin asuntopula on nyt yhteiskunnan murroksen tasaannuttua saatu poistetuksi rakentamalla. Silti asuinympäristön kehittäminen on edelleenkin arkkitehtuurin keskeisimpiä tehtäviä: viime vuosikymmenen aikana on laajasti etsitty entistä elävämpiä muotoja ja uusia toteuttamisen keinoja.

Asuinympäristön sijoittaminen luontoon, kaupungeissakin, on ainakin 1930-luvulta lähtien ollut Suomessa vallitseva ihanne. Asumisesta luonnon äärellä on tullut suomalaisen elämänmuodon tunnus. Silloin kun rakentamisen mittakaava on kohtuullinen, ihanne on myös voinut toteutua. Niissä asunto- ja asemakaavaratkaisuissa joissa kokeiltiin funktionalismin uusien ajatusten edelleen kehittämistä, juuri rakentamisen suhde luontoon oli keskeinen tutkimuksen kohde. Alvar Aallon työ osoitti tässäkin suuntaa. "Allekirjoittanut pitää Suomen tapaisessa maassa ainoana oikeana sellaista asemakaavallista menetelmää, jossa asuntoalueiksi valitaan vain kaikkein paras ja useita sekä biologisia että psykologisia etuja sisältävä maasto", kirjoitti Aalto v. 1939 selostaessaan Kauttuan tehdasaluetta varten laatimaansa asemakaavaa ja terassitaloratkaisua. Paikan luonnonkauneus, terveellisyys, edulliset ilmansuunnat ja näköalat olivat tärkeitä. Tältä pohjalta syntyi sitten pohjoismaisen lähiön suomalainen muunnelma, metsäkaupunki, ja ajan mittaan myös sen kuuluisin esimerkki Tapiola.

Erillisten talojen avoin ja väljä rakennustapa vastaa ehkä asukkaiden pyrkimystä yksilöllisyyteen ja omaan rauhaan. Heti kun rakennetaan suuria määriä ja yksiköitä, sulautuminen luontoon jää sitä vastoin illuusioksi. Viime vuosikymmenten suuret kerrostalokasautumat pysäköintikenttineen entis-

there were no crowded city slums like those on the Continent. Nevertheless, almost half the predominantly rural population lacked a home of their own, and the industrial working population lived in cramped kitchen-cum-bedsitters.

The roots of social housing construction lay in the philanthropic ideas of the 19th century, and workers' housing associations were its first manifestation. The ideas of housing reform and utilitarian building fell on favourable ground in Finland and took root in the 1910s. The Vallila and Käpylä districts became the first important experiments in Helsinki. The ideals of Functionalism remained on paper, however, since the major part of housing construction in the cities was taken over by profiteers. Some Finnish industrial communities were the first equivalents of the Siedlung of German Functionalism. The prime example was Sunila, but Kaukopää, for instance, is another uniform, scrupulously designed housing area. The old Olympic Village in Helsinki, begun in 1939, became the first large unified housing estate in a Finnish city, and it was the first large project of socialized building when the latter finally got under way.

After the most urgent housing production of the reconstruction period, State-subsidized housing loans were finally made available, and it is under this 'Arava' system that most of the typical '50s housing areas and first suburbs were constructed. The '60s and early '70s were a period of immense growth in housing construction. It has been calculated that in 1980 every third Finn lived in a dwelling not more than ten years old. However, attempts to create a good living environment were overwhelmed by the demands of housing production aiming only at quantity and speed. Despite the optimistic experiments and developments of the '50s, prefabricated building became rather crude when executed on a large scale, since the industry concentrated on cumbersome and inflexible building systems. The phenomenon is well-known and universal; it only seemed so overwhelming in a small country like Finland, compared with the idyllic past and the reasonable scale of previous construction, because it was so fast and widespread. However, exemplary housing complexes have also been built all along; at many earlier stages such prime examples had in fact remained special cases. Although the worst housing shortage has been overcome now that the great population shift is over, improving the living environment is still one of the most crucial tasks of architecture. During the last decade, freer forms and modes of execution have been widely sought.

Placing housing amid a natural setting, even in cities, has been the dominant ideal in Finland since the '30s. Living next to nature has become characteristic of the Finnish way of life and an international myth. It is also feasible when the scale is a reasonable one. In the house and city plans experimenting with the further development of new Functionalist ideas, the relationship of buildings to nature was a central theme. Alvar Aalto's work led the way, as always. "In the author's opinion, the only correct town planning system in a country like Finland is to choose for housing areas only ideal sites with several biological and psychological advantages," Aalto wrote in 1939 in his description of the town plan and terraced house design for the Kauttua industrial community. The natural beauty, healthiness, favourable situation and views from any site were important. Out of these principles grew the Finnish variation on the Nordic suburb – 'the forest town', and its most famous example, Tapiola.

The open spaciousness of detached houses meets the inhabitants' desire for individuality and privacy. When large quantities and units are built, however, integration with nature remains an illusion. The towering apartment blocks with parking lots built in the past few decades amidst ex-forests or ex-fields are a far cry from the original idea. One reaction against

ten metsien tai peltojen keskellä ovat kaukana alkuperäisestä ajatuksesta. Reaktiona metsäkaupunkia tai sen epäonnistuneita sovelluksia vastaan on ollut pyrkimys takaisin kaupunkimaiseen ympäristöön. Siihen ei ole löytynyt oikotietä, niin kerta kaikkisesti Suomen vanha kaupunkiperinne on välillä päässyt katkeamaan. Tähän on vaikuttanut myös maatalousmaan kaupunkivihamielisyys, joka omalla tavallaan on siivittänyt uusia, luonnon lähteille pyrkiviä suunnitteluihanteita. Esimerkin tarjoaa Heikki von Hertzenin, Tapiolan pääorganisoijan ja ideoiden isän, pamfletti Koti vaiko kasarmi lapsillemme (1946): siinä kaupunki samaistetaan kivierämaahan, katupoikiin ja arveluttaviin ravintolahuvituksiin, kun vastakohtana on terve elämä luonnon helmassa ja puutarhanhoidon parissa.

Pyrittäessä kaupunkimaiseen järjestykseen löydettiin 1960-luvun alkupuolella uudestaan suomalaisten puukaupunkien ruutuasemakaava, pihapiirit ja mittakaava. Jyväskylän Kortepohjan alue toteutui osittain uusien ihanteiden esimerkiksi. Kasvupaineen mukana jouduttiin kuitenkin kohta toiseen äärimmäisyyteen, 1960-luvun lopun "kompaktikaupunki"-ideologiaan. Väljien puistomaisten alueiden sijasta siirryttiin muutamassa vuodessa toteuttamaan sitäkin tiiviimmin ja tehokkaammin rakennettuja kaupunkisaarekkeita, huipentumina Helsingin Meri-Hakan ja Itä-Pasilan tai Lappeenrannan ja Raision kansille rakennettujen eritasokaupunkien katkelmat.

Näiden kokemusten jälkeen on viime vuosikymmenen alusta lähtien uudestaan etsitty siteitä perinteiseen kaupunkirakenteeseen ja sen mittakaavaan. Ennen muuta on kaupunkirakentamiseen yritetty palauttaa tilantuntu, joka avoimen rakentamistavan mukana lopulta lähes kokonaan on kadotettu, ja luoda koossapitäviä julkisia kaupunkitiloja. Kaupunkirakennustaiteen uudelleen löytäminen on 1970-luvun lopulta lähtien ollut kansainvälisestikin tärkeimpiä arkkitehtuurin pyrkimyksiä.

Suomessa kaupunkikulttuurin perinteet ovat vain niin kovin ohuet. Kuitenkin täällä on kiinteämuotoisia pikkukaupunkeja, keisarikauden Helsingin loistoa, uusrenessanssin ja jugendin kivimuureja ja vuosisadan vaihteen kaupunkimaisen elämän keskittymiä, kuten Hämeenkatu, Tampereen valtasuoni. Vuosisadan vaihteessa Helsingin Töölön asemakaavakilpailusta, uusista huvilakaupungeista ja laajenevista teollisuusyhdyskunnista alkoi suurpiirteisten kaupunkisuunnitelmien aika, joka huipentui Eliel Saarisen Munkkiniemi–Haaga-suunnitelmaan v. 1915 ja Suur-Helsinkikaavailuihin v. 1918. Saarisen kaupunkinäkemystä hallitsivat ehjät

Eliel Saarinen: Munkkiniemi–Haaga-suunnitelma (–1915), lintuperspektiivi. Yhtenäisen kaupunkikuvan ja suurpihakorttelien ihanteen suurpiirteisin julistus – joka lähes kokonaan jäi paperille.

Eliel Saarinen: Munkkiniemi–Haaga plan, 1915, bird's eye view. A grandiose manifesto for the ideal harmonious townscape and extended block courtyard, though it remained just a plan.

the 'forest town' and its unsuccessful applications has been a return to an urban environment. No short cut to this has been found, as the break with the old Finnish urban tradition has been so total. This can also be put down to the hostility towards cities felt by a basically agricultural country, combined with design ideals that yearn for the heart of nature. An example is a pamphlet by Heikki von Hertzen, the main figure behind Tapiola, called 'Koti vaiko kasarmi lapsillemme' ('Homes or barracks for our children?', 1946); in it, the 'city' is identified with ideas of a concrete jungle, street urchins and dubious haunts, in contrast to a healthy life of gardening surrounded by nature.

In the drive for urban order, the grid plan, courtyards and scale of Finnish wooden towns were rediscovered in the early '60s. The Kortepohja area of Jyväskylä was built partly according to these ideals. However, due to growth pressure, the other extreme was soon reached: the 'compact city' ideology of the late '60s. Instead of being spacious park-like areas, new housing areas became more and more compactly and efficiently built urban islets within a few years, culminating in the fragments of multi-level cities built on concrete decks that we find in Merihaka and Itä-Pasila in Helsinki and the centres of Raisio and Lappeenranta.

After all these experiences, ties with the traditional urban structure and its scale have again been sought since the beginning of the '70s. Above all, an attempt has been made to restore to city building the spacial sense that was almost completely lost with open building, and to create once again cohesive public urban complexes. Rediscovering urban architecture has been, since the late '70s, one of the most important aims of architecture internationally.

The problem is that in Finland the traditions of urban culture are so weak. And yet we find tightly formed little town complexes, or Imperial splendour in Helsinki, stretches of Neo-Renaissance and Art Nouveau buildings and turn-of-the-

Alvar Aallon suunnittelemat Sunilan tehtaat ja yhdyskunta Kotkan lähellä ovat funktionalismin kauden ja teollisuuden uudistusmielisen rakentamisen malliesimerkki. Päävaihe toteutettiin 1936–1939, kun yrityksen johtoon kuuluivat Harry Gullichsen sekä Aulis Kairamo teknisenä johtajana. Tehdasrakennusten veistoksellinen porrastus on syntynyt tuotantoprosessien mukaan koneiden ympärille, samalla rakennusryhmä kasvaa välittömästi kallioisesta maastosta.

The Sunila mill and community near Kotka, designed by Alvar Aalto, are a prime example of Functionalist design in which the innovativeness of new industrial enterprises is still visible. The main building stage was headed by Harry Gullichsen, with Aulis Kairamo as technical director. The sculptural terracing of the factory buildings was designed around the machinery of the production process, but also to echo the terrain.

kaupunkitilat ja tutkimukseen perustuva, eri väestönryhmien asuinympäristöön ulottuva huolellinen suunnittelu. Saarinen oli kansainvälisen luokan urbanisti,jolta tilattiin suunnitelmia myös ulkomaisten suurkaupunkien asemakaavakysymysten ratkaisemiseksi. Saarisen suunnitelmat jäivät kuitenkin suurimmaksi osaksi paperille.

Kaupunki taideluomana oli, Gustaf Strengellin kirjan nimeä lainaten, ihanteena vielä 1920-luvulla. Pyrittiin ehjiin rauhallisiin katunäkymiin. Vielä muutaman vuosikymmenen ajan arkkitehdit osasivat sovittaa uudet talonsa katujen varsille naapurien joukkoon "kuin rivimiehet vain". Sitten tämä perinne katkesi. Tosin sellaiset arkkitehdit kuin Bryggman tai Aalto ovat kyenneet liittämään uudet rakennukset vanhaan ympäristöön ja myös luomaan kaupunkirakennustaiteellisia ehjiä rakennusryhmiä, ehkä nuoruusaikansa ihanteiden pohjalta. Tällaisia ovat esimerkiksi Aallon moniin kaupunkeihin suunnittelemat uudet kunnallisen elämän keskukset, mutta nekin ovat kuitenkin usein jääneet verraten erilleen muusta kaupungista.

Yleensä rakennukset ovat Suomessa irrallaan ympäristöstään. Ehjät uudet kaupunkinäkymät ovat harvinaisia. Ei ole helppoa kädenkäänteessä synnyttää luontevaa uutta kaupunkimaista rakentamistapaa.

Suomalainen arkkitehtuuri on yleensä onnistunut parhaiten sijoittuessaan luontoon tai puistoympäristöön. Rakennusten sovituksen maastoon ovat arkkitehdit taitaneet. Puurakennuksissa, saunoissa ja omakotitaloissa tämä maanläheisyyden ihanne on saanut välittömimmät ilmauksensa. Huviloissa, Hvitträskistä Villa Maireaan, on parhaimmillaan toteutunut ajatus kokonaistaideteoksesta. Samalla näissä pienissä rakennustehtävissä on ollut tilaisuus joustavasti kokeilla tilakokonaisuuksia, joissa sisä- ja ulkotilat lomittuvat toisiinsa. Näiden maisemaan ja luontoon liittyvien rakennusryhmien maastoon sovittamisen periaatteiden juuria voidaan hakea suomalaisen kansanrakentamisen pihapiireistä, tai toisaalta antiikin perinnöstä ja Välimeren maiden ajattomista rakennusryhmistä – nehän eivät ilmeeltään ole niinkään kaukana toisistaan. Metsä tai kulttuurimaisema ovat suomalaisen rakennustaiteen omimmat ympäristöt.

Jos suomalainen rakentaminen äärimmillään on suoranaista metsäläisarkkitehtuuria, on siinä rinnalla toinenkin, vastakkainen juonne: avoin pyrkimys eurooppalaisuuteen, nykyaikaisuuteen ja kansainvälisten uudistusten seuraamiseen. Se näkyy erityisesti liikerakennusten, hotellien, kauppojen ja teollisuuslaitosten mannermaisessa hillityssä loistokkuudessa. Samat arkkitehditkin voivat rinnakkaisissa töissään eläytyä luontoon tai viileään suurkaupunkimaisuuteen. Taustalla ovat 1800-luvun vielä patriarkaalisen kapitalismin ihanteet, ajalta jolloin uudet rakennuttajat, teollisuuden ja lii-

century urban concentrations, such as Hämeenkatu, the principal thoroughfare of Tampere. A period of magnificent city plans began at the turn of the century with the design competition for the Töölö area town plan in Helsinki, the new villa towns, and expanding industrial communities, culminating in Eliel Saarinen's Munkkiniemi–Haaga plan (1915) and the Greater Helsinki plans (1918). Saarinen's cityscape is dominated by whole city spaces and carefully pondered planning extending down to the surroundings of different sectors of the population. Though most of his plans remained on paper, Saarinen was also an international-class urbanist in his foreign works.

The city as a work of art, to quote the title of Gustaf Strengell's book, was the ideal as late as the '20s. Whole, tranquil street views were sought. For a few decades yet, architects were able to fit their new houses into the street alongside their existing neighbours, 'like soldiers in a row'. Then, this tradition broke. Architects like Bryggman and Aalto were able to integrate new buildings into old surroundings and also to create harmonious building groups despite this break, perhaps drawing on the ideals of their youth. The community centres designed by Aalto in many cities are an example of this, although they, too, are somewhat separate from the rest of the city.

Buildings are, in fact, usually separate in Finland. Coherence is rare in the new cityscapes; and a new urban approach to building is not easy to devise overnight.

Finnish architecture has scored its greatest successes when placed in a natural setting or park; tailoring to the environment is its strong point. This down-to-earth ideal is best realized in the wooden houses, the saunas, the single-family houses. Villas, from Hvitträsk to the Villa Mairea, express the idea of a total work of art at its best. They also provide the opportunity to create building complexes integrated with the landscape and with nature. The principles used to merge them with the terrain can be seen both in the farmyards of Finnish vernacular building and in the heritage of Antiquity and the timeless architecture of the Mediterranean – the two are, after all, not very far from one another in appearance. Forest and farmland are the most characteristic settings for Finnish architecture.

If Finnish construction at one extreme is actual backwoods architecture, it also carries another, converse streak: an open striving for the European, the modern, a desire to keep pace with international reforms. This is especially visible in the Continental elegance of business buildings, hotels, shops and industrial installations. Even the same architect can, in parallel works, emphasize either integration with nature or subdued elegance. State officials and lords of the manor were joined in the 19th century by new clients: the managerial class of industry and business. Modern architecture was used to create the

Esimerkki P.E. Blomstedtin hiotuista rakennuksista: hotelli Pohjanhovi Rovaniemellä, joka rakennettiin 1935–36, mutta tuhottiin sodassa.

An example of P.E. Blomstedt's elegant designs: the Pohjanhovi hotel in Rovaniemi, built in 1935–36 and demolished during the war.

Alvar Aallon koetalo Muuratsalossa v:lta 1953 on klassisen ihanteen muunnelma: suojattu kokoava patio, jonka läpi avautuu kehystetty näkymä maisemaan.

Alvar Aalto's experimental house in Muuratsalo (1953) is a variation on a classical ideal, having a sheltered central patio affording a framed view of the surrounding landscape.

ke-elämän johtohenkilöt tulivat virkamiesten rinnalle. Ei vain tuotteiden, vaan myös huolellisesti suunniteltujen laitosten ja järjestettyjen sosiaalisten palvelujen ja asuntoalueiden avulla annettiin kuva vakaasta yrityksestä, ja uudenaikaisella arkkitehtuurilla osoitettiin uudistusmieltä.

Arkkitehtuuri on perimmiltään tilataidetta, ja uudenlaisessa vapaassa tilasommittelussa on 1900-luvun arkkitehtuurin keskeisin linja, johon suomalainenkin rakennustaide liittyy. Rauta, lasi ja betoni ovat tunnetusti olleet tuon tilan luomisen vapauden edellytyksiä, ja tuskin niiden antamia mahdollisuuksia on vielä tyhjennetty. Samalla on 1900-luvun arkkitehtuurissa toistuvasti hakeuduttu "alkuperäisen" kansanrakentamisen ja rakennuskulttuurin lähteille.

Itä-Aasian rakennustaiteen toisiinsa lomittuvat ja luontoon liittyvät tilasommitelmat ovat hedelmöittäneet länsimaista rakennustaidetta. Amerikkalaisen Frank Lloyd Wrightin arkkitehtuuri oli tärkeä välittäjä ja innoituksen lähde 1900-luvun alussa, ja 1920-luvun hollantilainen neoplastinen sommittelu, Le Corbusier'n rakennusten eri kerroksia toisiinsa yhdistävät tilasommitelmat tai saksalaisen Mies van der Rohen ulkotiloihin ja maastoon kurottuvat rakennukset olivat tärkeitä impulssien antajia. Wrightin arkkitehtuuri ja japanilainen perinteinen asuntoarkkitehtuuri antoivat uudelleen tärkeitä vaikutteita tilataiteen ja ns. jatkuvan tilan kehittämiselle varsinkin 1930-luvun lopulta lähtien.

Aalto on yhdistäessään kiinteitä suojaavia rakennuskappaleita ja niiden välisiä vapaasti polveilevia ja ulkotiloihin avautuvia hallitiloja luonut oman luonteenomaisen tilasommittelunsa. Arkkitehtuurin perimmäisenä ilmaisukeinona on tilan ja valon luominen rakenteiden avulla. Samalla kun tehtävä on käytännöllinen, ilmaisukeinot ovat abstrakteja. Näillä keinoilla luotavat tulokset ovat kuitenkin kestävimmät. Uusimmassa suomalaisessa arkkitehtuurissa voi nähdä, että tässä perussuuntauksessa on paljon elinkelpoista ja uusiutumiskykyistä: uuden arkkitehtuurin keinoja on opittu käyttämään hallitusti ja vapautuneesti, ja samalla on ennen muuta saatu aikaan eläviä tiloja.

Vielä äskettäin on eletty uuden arkkitehtuurin jotenkin itsestään selvän perinteen keskellä. Nyt siihen joudutaan ottamaan kantaa, siitä on tullut historiaa. Tämän vuosisadan arkkitehtuuri on samalla tulossa Suomen oloissa yhä tärkeämmäksi myös rakennushuollon ja -suojelun kohteena. Usein varsinkin funktionalismin kauden rakennukset on tähän asti nähty pelkästään käyttötavarana, jota on mielin määrin muutettu vaihtuvien suhdanteiden mukana. Luonnollisestikin talojen tulee elää välttämättömien tarpeiden mukaan. Kuitenkin piittaamatta tai alkuperäistä arkkitehtuuria ja sen luonnetta ymmärtämättä tehdyt muutokset ovat pilanneet monia merkittäviäkin rakennuksia, sellaisia jotka on luettava Suomen tärkeimpien rakennusmuistomerkkien joukkoon historiallisten monumenttien rinnalla.

Tämä ongelma on tullut vastaan myös valokuvakirjan teossa. Monet nykyaikaisen rakennustaiteen klassikot eivät yksinkertaisesti enää ole kuvattavissa, siinä määrin ne ovat menettäneet yksityiskohtansa ja luonteensa. Mainittakoon pelkästään Turusta Aallon Turun Sanomien liiketalo tai Bryggmanin Seurahuoneen elegantit 1920-luvun sisätilat ja se ainutlaatuinen ehjä kaupunkinäkymä Yliopistonkadun varrella, jonka Hospitzin, Atriumin ja Sammon talot ovat muodostaneet, tai toisaalla Vierumäen urheiluopisto, Bryggmanin 1930-luvun päätyö. Arkkitehtuuri, joka perustuu niukkoihin ilmaisukeihoihin, on sitäkin riippuvaisempaa yksityiskohdista ja vivahteista.

image of up-to-date, progressive companies, while polished forms and details were used to appeal to new consumers. This desire for elegance was especially notable during the growth of retail trade at and after the turn of the century. Co-operative stores spread the ideal widely in the '30s. In industry, the desire to produce a controlled environment as well as actual products has now become rarer.

Architecture is, fundamentally, a three-dimensional art, and the new kind of free spatial composition displays the central preoccupation of 20th century architecture, to which Finnish architecture also subscribes. Iron, glass and concrete are, as we all know, the requirements for a free handling of space, and their potential is far from exhausted. Twentieth-century architecture has also repeatedly sought 'primitive' sources of building culture rather than the pretentious monumental architecture of history. Art Nouveau, at the turn of the century, aimed at a natural cosiness rather than stiff formality. The way Far Eastern architecture interconnects and merges with nature has repeatedly fertilized Western architecture. The American Frank Lloyd Wright was an important mediator and source of inspiration at the beginning of the century, and the Neo-Plastic composition of Dutch buildings in the '20s, Le Corbusier's compositions interconnecting different floors, and the transparent and outward-reaching buildings of the German Mies van der Rohe all provided important impulses. Wright's architecture and traditional Japanese domestic architecture again provided significant influences beginning in the late '30s.

Aalto, in combining solid protective building masses and the freely meandering halls formed between them, opening onto the outside, created his own personal spatial composition. The fundamental architectural method is the creation of space and light with structures. While the assignment is practical, the means of expression are abstract. However, the results thus created are the most durable. The newest Finnish architecture reflects a revival of this trend. The new architecture uses these means variedly and freely, creating dynamic spaces.

Until recently we had been living within ja somehow self-evident tradition of architecture. Now we must assess this tradition: it has become history. The architecture of this century is gaining importance in Finland as an object for conservation and protection.

Buildings (of the Functionalist period in particular) are often seen as disposable goods, to be varied and expanded at random with economic fluctuations. Naturally, our buildings must meet our essential demands. However, alterations made heedless of the original architecture, or without understanding it, have ruined many significant buildings, buildings that must be included among the most important architectural monuments in Finland, alongside those of history.

The same problem has arisen in compiling a pictorial work like this. Many classics of modern architecture can no longer be shown, since they have lost their detail and character. One need but mention, in Turku, the offices of Turun Sanomat by Aalto, the elegant '20s interiors of the Seurahuone by Bryggman, the unique coherent cityscape along Yliopistonkatu formed by the Hospitz, Atrium and Sampo buildings, or, to mention a further example, Vierumäki Sports Institute, Bryggman's main work of the '30s. Architecture, which relies on relatively few means of expression, is all the more dependent on detail and nuance.

37
Tampereen tuomiokirkko. Lars Sonck.
The Cathedral of Tampere. Lars Sonck.

2

Kansallisromantiikan vapautta ja jugendin järkiperäisyyttä

Kansallisromantiikan ihanne oli kokonaistaideteos.

37. Tampereen Johanneksen kirkko, nykyinen tuomiokirkko, on kansallisromantiikan pyrkimysten täydellisimpiä toteutuksia. Kotimaista graniittia on käytetty ainutlaatuisen maalauksellisesti. Ulkohahmon tavoitteena on elävä rakennuksen osien, muurien, porttien ja tornien ryhmittely, vaikka avara holvattu sisätila läheneekin säännönmukaista keskeistilaa. Arkkitehti Lars Sonck voitti suunnitellukilpailun v. 1900 ja kirkko rakennettiin 1902–1907.

38. Arkkitehtikolmikko Herman Geselliuksen, Armas Lindgrenin ja Eliel Saarisen itselleen suunnittelema ateljee- ja asuntoryhmä Kirkkonummella Hvitträsk-järven äärellä on toinen kansallisromantiikan tunnetuimmista rakennuksista. Siinäkin arkkitehtuuri, taidekäsityö, sisustukset ja kuvataiteet yhtyvät erottamattomaksi kokonaisuudeksi. Alati vaihtelevien ja toisiinsa lomittuvien tilojen ryhmittely on tärkein koossa pitävä tekijä. Rakentaminen aloitettiin 1902. Näkymä Saarisen ruokasalista, taustalla suuri halli.

40–41. Vuosisadan vaihteessa huvilat tarjosivat tilaisuuden uusiin kokeiluihin. Villa Miniato Espoon Soukassa on esimerkki Geselliuksen, Lindgrenin ja Saarisen huviloista (1901).

Kansallisromantiikkaa kaupungissa.

42. Katajanokan kaupunginosan asuintalot rakennettiin pääosin muutamassa vuodessa vuosisadan vaihteessa. Rakennusmestarit ja tunnetut arkkitehdit suunnittelivat talojaan rinta rinnan. Etualalla vasemmalla Gesellius, Lindgren, Saarisen toimiston Eol – vaaleaksi rapattu asuintalo (1901–1903).

43a. Jugendsali Helsingissä, alunperin Privatbanken (1904), on esimerkki monista vuosisadan alun valokattoisista pankkisaleista. Arkkitehti Lars Sonck, yksityiskohdat Valter Jung. Kiinteä kalustus hävitettiin kun salia v. 1916 laajennettiin puolipyöreällä osalla. Silloin sali sai Vilho Sjöströmin freskot.

43b. Helsingin puhelinyhdistyksen toimitalo, jonka arkkitehtina oli Lars Sonck, 1903–1905. Rakennuksen arkaainen ilme on ehkä yllättävä, edustihan rakennuttaja uusinta tekniikkaa. Katot olivat alunperin tiiltä.

44a. Tunnetuin esimerkki kansallisromantiikan vaihtumisesta entistä selkeämpään rakenteellisuutta korostavaan suuntaan ja yksilölliseen monumentaalityyliin on Helsingin rautatieasema. Gesellius, Lindgren, Saarinen olivat voittaneet kilpailun v. 1904 maalauksellisella ehdotuksella, jonka Eliel Saarinen muokkasi kokonaan uudestaan. Jo hallintosiivessä (1905–1909) ja varsinkin pääsalien betoniholveissa (1910–) uudet pyrkimykset toteutuivat, ja jo valmistuessaan v. 1914 rakennus oli kuuluisin uuden suomalaisen rakennustaiteen esimerkki ja kansainvälisestikin esikuvallinen liikennerakennus. Pääjulkisivun sivustaa.

44b. Asuin- ja liiketalo Taos Vanhan kirkon puiston äärellä Helsingissä, 1912. Suunnittelija oli arkkitehdeistä vuosisadan alussa kansainvälisimmin suuntautunut Sigurd Frosterus. Rakennus on yksi aikansa Euroopan hienoimpia kaupunkikerrostaloja. Jäntevä ääriviiva on monien Frosteruksen talojen tunnuksena.

Ajanjakso 1900-luvun alkukymmenen puolivälistä ensimmäisen maailmansodan loppuun oli mielenkiintoinen ja hedelmällinen kehityskausi erityisesti liikerakennusten ja kaupunkien kivitalojen suunnittelussa (muita esimerkkejä ovat liiketalot s. 168–169 ja asuntokortteli s. 125).

Hvitträsk, Kirkkonummi. Gesellius, Lindgren, Saarinen.

The freedom of National Romanticism and the rationality of Art Nouveau

The National Romantic ideal: a total work of art

37. The Church of St. John in Tampere, now the Cathedral, is one of the most complete realizations of Finnish National Romanticism. The building uses Finnish granite in a uniquely expressive way. The external form aims at free symmetry in the placing of walls, gates and towers, although the spacious vaulted interior approximates to a conventional centralized design. Architect Lars Sonck won the design competition in 1900, and the church was built between 1902 and 1907.

38. The studio home designed by the architect trio Herman Gesellius, Armas Lindgren and Eliel Saarinen for themselves on the shore of Lake Hvitträsk in Kirkkonummi is another of Finland's best-known National Romantic buildings. Here, architecture, crafts, interior decor and the visual arts combine to form an inseparable unity. The varied layout of interconnected spaces is the factor governing the whole. Construction began in 1902. A view of Saarinen's dining room with the great hall in the background.

40–41. The many villas constructed around the turn of the century provided opportunities for varied experiments with the new ideals. Villa Miniato in Espoo, is example of a Gesellius, Lindgren, Saarinen villa (1901).

National Romanticism in the city

42. The stone buildings in Katajanokka were built within a few years of each other at the turn of the century. Master builders and well-known architects designed their houses side by side. In the foreground to the left is 'Eol', a light plastered building by the Gesellius, Lindgren, Saarinen office (1901–03).

43a. The Jugendsali ('Jugend Hall') in Helsinki (1904). A well-preserved example of the glassroofed banking halls typical of the turn of the century. The architect was Lars Sonck; the detail is by Valter Jung. The fittings were destroyed in 1916 when a semi-circular annexe was added. At the same time the hall acquired the frescoes by Vilho Sjöström.

43b. The offices of the Helsinki telephone company, designed by Lars Sonck (1903–05). Its archaic solemnity is perhaps surprising in a building including the most modern telephone techniques. The roofs and bays were originally tiled.

44a. The best-known example of the shift from National Romanticism to a more distinct style emphasizing structural quality and to an individual monumental style is the design of Helsinki Railway Station. The Gesellius, Lindgren, Saarinen office had won the design competition in 1904 with a proposal which was subsequently completely revised by Saarinen. His new ideas were realized in the administration wing (1905–09) and especially in the concrete vaults of the main halls (1910–), and when the building was completed in 1914 it was already the most famous example of the new Finnish architecture and a model railway building by any international yardstick. The main elevation from one side.

44b. The residential and office building 'Taos' next to the Old Church park in Helsinki (1912). The designer was Sigurd Frosterus, the most internationally oriented Finnish architect at the turn of the century. The 'Taos' has a distinctly citified look, rare in Finland.

40–41 ▷

Villa Miniato, Espoo. Gesellius, Lindgren, Saarinen.

HELI TIMONEN OY
HELI TIMONEN OY
Pulla
uoti

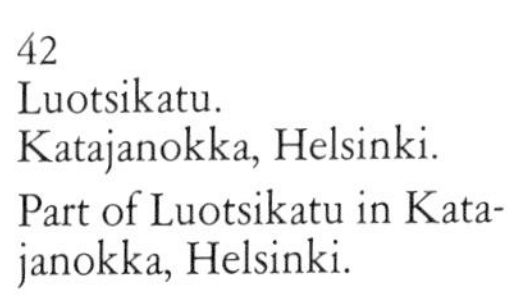

42
Luotsikatu.
Katajanokka, Helsinki.

Part of Luotsikatu in Katajanokka, Helsinki.

43a
Jugendsali, Helsinki.
Lars Sonck.

The Jugendsali ('Jugend Hall') in Helsinki. Lars Sonck.

43b
Helsingin puhelinyhdistys.
Lars Sonck.

The offices of the Helsinki telephone company.
Lars Sonck.

44a
Helsingin
rautatieasema.
Eliel Saarinen.

Helsinki Railway Station.
Eliel Saarinen.

44b
Asuin- ja liikerakennus,
Helsinki. Sigurd Frosterus.

The residential and office
building 'Taos', Helsinki.
Sigurd Frosterus.

45
Käpylän puutarha-
kaupunki, Helsinki.
Martti Välikangas.

Käpylä Garden Suburb
Helsinki.
Martti Välikangas.

3

Kohti arkkitehtuurin perusteita – klassismia 1920-luvulla

45. Puu-Käpylässä, joka rakennettiin Helsinkiin 1920–1925, toteutuivat täydellisimmin ajan sosiaaliset ja yhtenäistä kaupunkikuvaa koskevat ihanteet. Aloite Käpylän puutarhakaupungin rakentamiseksi tuli kaupungin sosiaalilautakunnalta ja kunta oli osallisena asuntoyhtiöissä. Asemakaavan tekivät Birger Brunila ja Otto-I. Meurman, ja kaikki talot suunnitteli Martti Välikangas. Yksinkertaisuus ja halpuus olivat tunnussanoja, ja paikalle pystytetty tehdas tuotti standardoituja seinärakenteita. Talojen, aitojen ja porttien elävällä ryhmittelyllä ja säästeliäillä mutta harkituilla yksityiskohdilla ja koristeilla on saatu aikaan vaihteleva ja vieläkin ihanteellinen asuntoalue. Vaikutteita on saatu niin hyvin pohjalaistaloista, puukaupunkien kaduista ja pihoista kuin Italian matkoista ja skandinaavisten kollegojen töistä, mutta kokonaisuus on tuore.

Taloihin pitkään kohdistunut purku-uhka huipentui koko alueen täydelliseen uudisrakentamiseen tähdänneeseen suunnittelukilpailuun v. 1960. Pitkän polemiikin jälkeen alue kuitenkin päätettiin kunnostaa. Taloja on vuodesta 1972 lähtien nykyaikaistettu Bengt Lundstenin suunnitelmien pohjalta. Puu-Käpylän korjaus on koko Suomessa yleistyvän vanhojen asuinrakennusten kunnostamistyön tärkein pioneeriesimerkki.

47a. Vaikka talot olivat usein vaatimattomia, osattiin 1920-luvulla rakentaa ehjiä kaupunkeja. Mäkelänkatua Helsingin Vallilassa. Etualalla olevat kaupungin vuokratalot rakennettiin pääosin 1924–1926 ja piirustukset laati vahvistettujen julkisivukaavioitten mukaisesti sosiaalilautakunnan konttorissa arkkitehti Uno Moberg.

47b. Taidehalli, Helsinki, 1927–1929, arkkitehti Hilding Ekelund. Symmetristen selkeiden rakennuskappaleiden ja tilojen epäsymmetrinen yhdistäminen oli 1920-luvulla suosittu sommitteluperiaate. Se soveltui hyvin näyttelyrakennuksiin. Ylävalolla valaistuja saleja vastaavat julkisivujen ehjät muuripinnat, joita keventää rappauspintojen elävä tekstuuri. ”Ekelundin harkitusti kevyt, mutta samalla kiinteä muodonkäsittely oli uutta meikäläisessä arkkitehtuurikäsityksessä, jolle pääleiman aikaisemmin oli antanut raskasmuotoinen kansallinen romantiikka” (Aulis Blomstedt).

48–50. Eduskuntatalo, on suunnittelijansa J.S. Sirenin päätyö ja ehkä Suomen kaikkien aikojen huolellisimmin suunniteltu ja toteutettu rakennus. Se perustui suunnittelukilpailun v. 1924 voittaneeseen ehdotukseen (Borg, Siren, Åberg). Kun rakennustyö alkoi v. 1927, siitä tuli ”ankara mutta terveellinen koulu monille ammattimiehille ja käsityöläisille” (Arkkitehti 1931). Kun rakennus valmistui v. 1931, oli toinen suuntaus, funktionalismi jo aloittanut voittokulkunsa Suomessa.

Graniittilinnan ulkohahmo saa ryhtinsä yksinkertaisesta stereometrisestä muodosta. Sisätilat on ikään kuin koverrettu kokoavasta rakennuskappaleesta. Kahvilan seinät ja katto ovat puolihimmeitä öljyvärillä käsiteltyjä ja pylväät ovat stukkomarmoria, Werner Westin kalustus osoittaa uuden ajan jo murtautuneen esiin (48b). Marmoriportaikkoa (49), 3. kerroksen käytävän (50a) ja hissiaulan (50b) tilasommittelua (korkokuvat Gunnar Finnen), Valtiosali Calcata-marmoripintoineen (50c) ja talon sydän, istuntosali (50d).

Eduskuntatalon sisätiloja on huolellisesti korjattu vuosina 1976–1984, arkkitehteina Ola Laiho, Pekka Pitkänen ja Ilpo Raunio avustajineen.

Towards the fundamentals of architecture – Classicism in the ’20s

45. The construction of homogeneous Puu-Käpylä (‘Wooden Käpylä’) in Helsinki in 1920–25 was the most perfect realization of the social ideals and townscaping principles of the period. The town plan of Käpylä garden suburb was drawn up by Birger Brunila and Otto-I Meurman. All the houses were designed by Martti Välikangas. Methods of economic building were developed and a factory erected on the spot produced standardized wall elements. The lively grouping of houses, fences and gates, and the sparse but well-considered detail and decoration resulted in a varied housing area that is still regarded as the ideal. One can identify influences from Ostrobothnian houses, streets and yards in wooden towns, Italian field trips and the work of Scandinavian colleagues, but the overall conception is new and fresh.

The renovation of Wooden Käpylä since 1972 to plans by Bengt Lundsten is a pioneering example of such work on old buildings in Finland.

47a. Although the buildings were often quite modest, construction in the 1920s managed to create a unified cityscape. Part of Mäkelänkatu in the Vallila area of Helsinki. The council tenements in the foreground were built mainly in 1924–26; the plans were drawn up by architect Uno Moberg of the Welfare Board office according to the approved elevation diagrams.

47b. Taidehalli (‘Art Hall’), Helsinki. Hilding Ekelund (1927–29). The asymmetrical combination of symmetrical building masses and spaces, a design favoured in the 1920s, was well suited to an exhibition building meant to be roamed around in. The halls, lit from above, echo the flat wall surfaces of the exterior, which are given added lightness by the plaster texture. “Ekelund’s decidedly light but firm treatment of form was something new in Finnish architecture, previously characterized by the heavy forms of National Romanticism.” (Aulis Blomstedt)

48–50. Parliament House, Helsinki, the main work of its designer, J.S. Sirén, and the most carefully designed and executed building ever to be erected in Finland. It was based on the winning entry by Borg, Sirén and Åberg in a design competition in 1924. When construction began in 1927, it turned out to be “a harsh but healthy school for many professional builders and craftsmen” (Finnish Architectural Review 1931). Parliament House became the culmination of the strict Classicism of the ’20s. When the building was completed in 1931, another trend, Functionalism, had already begun its conquest of Finland.

The external form of the granite construction is a simple stereometric shape (48a). The interiors appear to have been carved out of this block. The walls and ceiling of the café are covered in polished, semi-glossy oil paint; the pillars are marbled stucco and the furniture (by Werner West) shows signs of the new movement (48b). The other pictures show the marble staircase (49), the 2nd floor corridor (50a) and the lift lobby (50b), with reliefs by Gunnar Finne; the Hall of State, faced with Calcata marble (50c) and the heart of the building, the main chamber (50d).

The interiors of Parliament House were carefully repaired between 1976 and 1984, under the supervision of architects Ola Laiho, Pekka Pitkänen and Ilpo Raunio.

47a Mäkelänkatua Vallilassa, Helsingissä.
Part of Mäkelänkatu in the Vallila area, Helsinki.

47b
Taidehalli, Helsinki. Hilding Ekelund.
Taidehalli ('Art Hall'), Helsinki. Hilding Ekelund.

48ab, 49, 50 abcd ▷▷
Eduskuntatalo, Helsinki. J.S. Siren.
Parliament House, Helsinki. J.S. Siren.

a

b

c

d

4

Funktionalismi muuttaa suomalaiseen maisemaan – 1930-luvun pioneerikausi

53–55. Paimion parantolan rakennusryhmän suunnitelma perustuu Alvar Aallon voittaneeseen kilpailuehdotukseen (1928), ja Aallon varhaisemman funktionalistisen kauden päätyö toteutettiin vuosina 1929–1933. Vielä nykyisin, vaikka rakennusta on monissa kohdin muutettu, se tekee tuoreudessaan voimakkaan vaikutuksen.

Rakennuksen osat on sijoitettu maastoon huoneitten suuntauksen ja niistä avautuvien näkymien kannalta mahdollisimman edullisesti. Näin on näennäisen helposti syntynyt eri suunnilta alituisesti vaihteleva rakennusryhmä. Yksilöllisten tilaryhmien, vaihtuvien näkymien ja ihmisen lähimittakaavaan liittyvien viimeisteltyjen yksityiskohtien avulla on vältetty suuren sairaalan laitosmaisuus. Aalto on toteuttanut omaa ihannettaan: "Arkkitehdin tulisi jos mahdollista hallita koko arkkitehtuurin kenttä kaupunkisuunnittelusta yksinkertaisimpaan pieneen ovenkahvaan."

Paimiossa on käytetty hyväksi betonirakenteiden antamia mahdollisuuksia, esimerkkinä ulokkeelle rakennetut makuuhalliparvet (kuvan 54 siipi). Nämä alkuperäiseen keuhkotautiparantolaan kuuluneet ulkoilmaparvet on myöhemmin hoitotarpeiden muuttuessa rakennettu umpeen.

Asemapiirustus, sairaala ja asuntoryhmityksiä, 1:3000. (Ks. viereinen palsta.)

56. Kannonkosken kirkko on funktionalismia siirrettynä Sisä-Suomen pohjoisimpaan kolkkaan. Arkkitehti P.E. Blomstedtin suunnitelmassa v. 1933 oli tavoitteena halvan ja vapaasti nykyaikaisen maalaiskirkkotyypin luominen uudelle seurakunnalle. Muoto on kuitenkin vain näennäisen yksinkertainen. Pohjamuodoltaan kuperat sivuseinät luovat jäntevän ääriviivan ja avartavat sisätilaa. Rakennus toteutettiin arkkitehtinsa varhaisen kuoleman jälkeen Märta Blomstedtin johdolla.

57. Åbo Akademin kirjaston kirjatorni on esimerkki Erik Bryggmanin ilmavasta arkkitehtuurista, jonka vaikutus perustuu selkeiden rakennuskappaleiden sekä muuripintojen ja aukkojen harmonisiin suhteisiin. Valkoinen rakennus nousi pihapuiston keskeltä v. 1935 aivan Turun tuomiokirkon tuntumaan. Kuvassa taustalla tuomiokirkon torninhuippu, jonka C.L. Engel suunnitteli Turun v. 1827 suurpalon jälkeen.

Ulkoilmaelämästä tuli 1920-luvun lopulta lähtien yhä enemmän arkkitehtuuriinkin vaikuttava ihanne. Kun vuoden 1940 olympiakisat päätettiin järjestää Helsingissä, nuorelle maalle piti tulla samalla tilaisuus osoittaa sisua ja siihen perustuvaa menestystä kansainvälisillä urheiluarenoilla. Olympiakisat peruuntuivat toisen maailmansodan puhkeamisen vuoksi, mutta osa kisarakennuksista oli jo saatu valmiiksi. Kun Helsingin olympiakisat sitten järjestettiin v. 1952, tärkeimmät kisanäyttämöt olivat suomalaisen funktionalismin pääkauden rakennuksia.

Functionalism appears in the Finnish landscape – the pioneering '30s

53–55. The Paimio sanatorium complex was constructed between 1929 and 1933, and this main work of Alvar Aalto's earlier Functionalist period was received as one of the main works of the new European architecture immediately upon its completion. Even today, although altered in many ways, its freshness and progressive approach make a strong impression.

Each wing is optimally situated with regard to the way the rooms face and the views from them. Thus, with deceptive simplicity, a complex is created that is free from constraints and looks different from every angle. The use of individual space groupings, varying views and personal details on a human scale means that Paimio lacks the institution-like atmosphere of a large hospital.

Paimio Sanatorium exploits the full potential of concrete constructions, e.g. in the cantilevers of the sun-deck structure (the wing in picture 54). Originally made up of open galleries in the tuberculosis sanatorium, it has since been closed in due to changes in treatment.

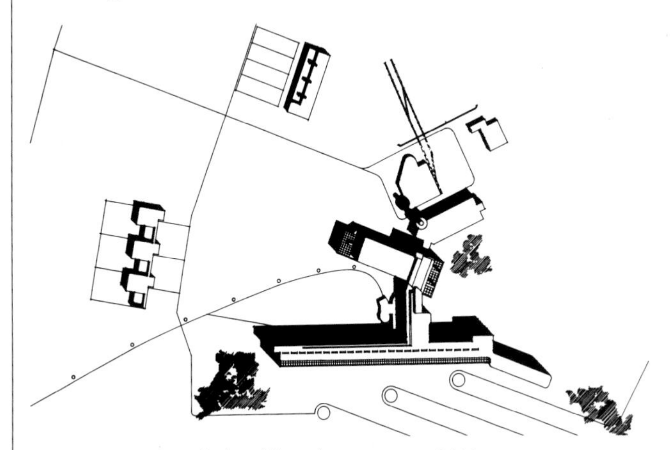

Site plan, the hospital and housing groups 1:3000.

56. The Kannonkoski church brought Functionalism to the northernmost part of the interior. P.E. Blomstedt's plan in 1933 aimed at creating an economic and freely modern country church for a new parish. However, the simplicity of form is an illusion. The slightly convex side walls give a dynamic profile and a spacious interior. The building was executed after the untimely death of the architect, to slightly modified plans by Märta Blomstedt.

Kannonkoski is one of the few Functionalist churches actually to materialize, since in this field the new architecture met with a lot of prejudice. After Hilding Ekelund's remodelling in 1930, the Luther Church in Helsinki, with its concrete vaults, was one of the first. The church in Nakkila by Erkki Huttunen (1937, picture 97b) is a kind of country cathedral.

58, 59b. Helsingin olympiastadion on sankarillisessa monumentaalisuudessaan ja selkeydessään yksi funktionalismin kiistattomista mestariteoksista, joka on säilyttänyt asemansa koko Suomen 1900-luvun arkkitehtuurin pääteosten joukossa. Stadionin suunnittelivat Yrjö Lindegren ja Toivo Jäntti, jotka stadionin jatkokilpailussa v. 1933 olivat saaneet sekä 1. että 3. palkinnon. Lentäväksi lauseeksi tuli kilpailuehdotuksen selostus: "Tehdään betonista". Stadion rakennettiin vuosina 1934–1940, ja jo vanhimpaan rakennusvaiheeseen kuuluivat läntinen katsomo ja siitä erkaneva urheilumuseon siipi (59b) ja torni. Vuoden 1952 olympialaisiin muiden katsomojen betonirakenteita korotettiin ja myöhemmin näiden alle on sisustettu liikunta- ja virastotiloja (kuva 58, oikea laita).

Tornista, joka nousee 72 metrin korkeuteen, tuli uuden ajan ja edistyvän maan tunnuskuva. "Lindegren sanoo sanottavansa vähin puhein ja – vähin viivoin. Mutta sitäkin sattuvammin." (Aulis Blomstedt)

59a. Helsingin Velodromi rakennettiin 1939–1940, Hilding Ekelundin piirustusten mukaan. Pyöräilystadionin kevyen ilmavan betonirakenteisen katsomosuojan vastakohtana ovat pyöräradan dynaamiset linjat ja auringonvalon täyttämä areena.

60. Lasipalatsi oli valmistuessaan v. 1935 pääkaupungin ensimmäisiä railakkaasti funktionalistisia rakennuksia. Suunnittelijat Viljo Revell, Niilo Kokko ja Heimo Riihimäki, olivat kaikki silloin vielä arkkitehtiopiskelijoita. He esittivät idean tilapäisen, ravintoloita, kauppoja ja elokuvasalin käsittävän basaarirakennuksen pystyttämisestä linja-autoaseman äärelle. Syntyi pysyviä arvoja. Elokuvateatterin porras ja aula ovat hiottuja yksityiskohtiaan myöten parhaiten säilyneitä monipuolisista sisätiloista.

61a, 62. Osuuskauppafunkista. Osuusliikkeissä pyrittiin huolella suunniteltuun nykyaikaiseen ympäristöön tuotantolaitoksista myymälänsisustuksiin ja vieläpä tuotteiden pakkauksiin.

61a. SOK:n varasto- ja konttorirakennus Oulussa vuodelta 1938 on parhaiten säilyneitä monista Erkki Huttusen SOK:lle suunnittelemista siiloista, myllyistä ja varastoista. Kiinteisiin rakennuskappaleisiin perustuva kirkas muoto ja nauhaikkunoiden ja katosten horisontaalinen "liito" ovat kansainvälistä luokkaa.
62. Osuuskunta Aitan myymälä nousi Sauvon kirkonkylän raitin varrelle 1932–1933, suunnittelijoina SOK:n rakennusosaston arkkitehdit Valde Aulanko ja Erkki Huttunen.
61b. Erkki Huttusen suunnittelema v. 1934 valmistunut Kotkan kaupungintalo edustaa julkisten rakennusten klassisoivaa, jäyheän monumentaalista "funkista".

Edellä kuvatut rakennukset kuuluvat jo tehtäviensäkin puolesta ns. valkoiseen funktionalismiin. Jo 1930-luvun puolivälistä oli kuitenkin käytetty monipuolisempia vapautuneita muotoja ja luontoon sulautuvia materiaaleja, etenkin puuta, esimerkkeinä Aallon Villa Mairea (ks. s. 158–160) tai Inkeroisten asuintalot (s. 129).

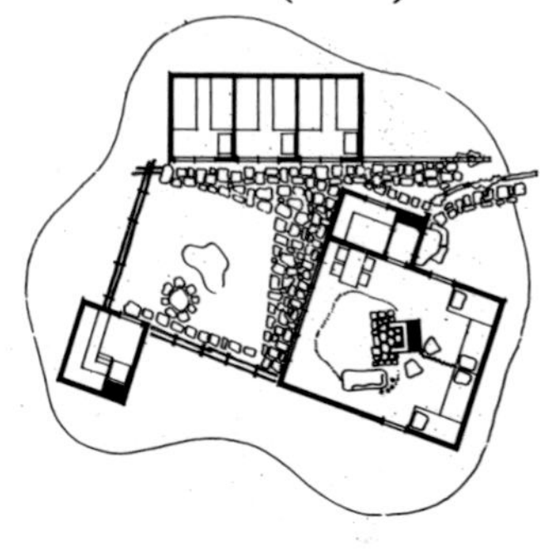

Alvar Aallon kehittämän AA-puutalojärjestelmän (1937–) esimerkki, pihan ympärille kasvava kesämaja. Pohja 1:500.

An example of the 'AA-wooden house system' developed by Alvar Aalto (1937–): a summer cottage expanding around a courtyard. Plan 1:500.

57. The white book tower of the Åbo Akademi library is an example of Erik Bryggman's airy architecture. The effect of the building stems purely from the harmonious proportions of the clear-cut building and the wall surfaces and apertures in them. The building was erected in 1935 right next to Turku Cathedral, the only medieval cathedral in Finland.

Outdoor life became an ideal that influenced even architecture from the late 1920s onwards. A tangible opportunity to express this influence came with the decision to arrange the 1940 Olympic Games in Helsinki. The games were cancelled because of the Second World War, but many of the necessary buildings had already been built. When the Helsinki Games were finally arranged in 1952, the main locations were buildings from the main period of Finnish Functionalism.

58, 59b. In its heroic monumentality and loftiness, Helsinki Olympic Stadium is one of the undisputed masterpieces of Functionalism; it has maintained its standing as one of the major works of Finnish 20th century architecture. The stadium was built between 1934 and 1940; the oldest parts are the western stands and the sports museum wing (59b) and the 72 metre high tower, which became a symbol of a new age and a prosperous nation. For the 1952 Olympics, the concrete structures of the stands were raised.

The designers were Yrjö Lindegren and Toivo Jäntti. "Lindegren says what he has to say with few words and in few lines, but all the more to the point." (Aulis Blomstedt)

59a. Helsinki Velodrome, designed by Hilding Ekelund, was built in 1939–40. The dynamic lines of the track and the arena filled with sunlight contrast with the light, airy concrete stands.

60. Lasipalatsi ('Glass Palace') was one of the first boldly Functionalist buildings in Helsinki upon its completion in 1935. The designers were Viljo Revell, Niilo Kokko and Heimo Riihimäki, all still students of architecture at the time. They came up with the idea of erecting a temporary bazaar-style building with restaurants, shops and a cinema next to the bus station. However, the building was to become a permanent fixture. The best preserved of the polished details are the staircase and cinema lobby.

61a, 62. Co-op Functionalism. The co-operative movement aimed to produce a carefully planned modern environment from factories to shops.
62. This Aitta Cooperative shop in the church village of Sauvo was designed by Valde Aulanko and Erkki Huttunen of the construction department of the cooperative central organization SOK (1932–33).
61a. The SOK warehouse and office building in Oulu, built in 1938, is one of the best preserved of the many silos, mills and warehouses designed for the organization by Erkki Huttunen. The lucid shape based on compact building masses and the horizontal 'glide' of the strip windows and roofs are firstclass even by international standards.

61 b. Kotka Town Hall by Erkki Huttunen (1934) represents the Classically-minded, sturdily monumental Functionalism of public buildings.

The buildings described above belong to the period of 'White Functionalism'. However, from the second half of the '30s, housing and exhibition buildings, especially, began to use of more varied and freer forms and natural materials such as wood. Examples are Aalto's Villa Mairea (158–160) and houses in Inkeroinen (129).

53
Paimion parantola. Alvar Aalto.
Paimio Sanatorium. Alvar Aalto.

ı-55ab
ıimion parantola.
lvar Aalto.

aimio Sanatorium.
lvar Aalto.

56 ▷
Kannonkosken kirkko.
P.E. Blomstedt.

Kannonkoski church.
P.E. Blomstedt.

57 ▷▷
Åbo akademin kirjaston kirjatorni, Turku. Erik Bryggman.

The book tower of the Åbo Akademi library, Turku. Erik Bryggman.

58, 59b
Olympiastadion, Helsinki. Yrjö Lindegren.
Helsinki Olympic Stadium. Yrjö Lindegren.

9a
/elodromi, Helsinki. Hilding Ekelund.
Ielsinki Velodrome. Hilding Ekelund.

60 ▷
Lasipalatsi, Helsinki. Viljo Revell ym.
Lasipalatsi ('Glass Palace'), Helsinki. Viljo Revell, et al.

61a
SOK:n varasto- ja konttorirakennus, Oulu. Erkki Huttunen.

The SOK warehouse and office building, Oulu. Erkki Huttunen.

61b
Kotkan kaupungintalo. Erkki Huttunen.
Kotka Town Hall. Erkki Huttunen.

sokos
OLUT TUPA
OLUT TUPA

5

Luonnonläheisyyttä ja pulakauden kokeiluja – jälleenrakennuskausi 1940-luvulla

65, 68. Oulujoen voimalaitokset ja niihin liittyvät asuntoalueet olivat jälleenrakennuskauden suuria tehtäviä. "Kansainvälistäkin mainetta saanutta turistinähtävyyttä ollaan valjastamassa tekniikan ja sen kautta inhimillisen elämän palvelukseen" (Arkkitehti 1949). Koskimaisemat muuttuivat, mutta uusi ympäristö toteutettiin huolella. Aarne Ervi suunnitteli sekä asuntoalueet että voimalaitokset, joista pääosa toteutettiin 1950-luvun kuluessa.
65. Pyhäkosken voimalaitos otettiin käyttöön v. 1949. Jykevähahmoinen laitos (pudotuskorkeus 32 metriä) jatkaa funktionalismin periaatteita hieman klassisoivassa hengessä.
68. Pyhäkosken voimalaitoksen vierasmajassa (–1948) olivat lähtökohtina sisätilojen yhteys jokimaisemaan ja materiaalien sulautuminen luontoon. Ilmavat suhteet, kodikkuus ja intiimi mittakaava sekä suojaavat katot ja hiotusti toteutetut puurakenteet hallitsevat kokonaisvaikutelmaa, johon yksityiskohtien tietty koristeellisuus alistuu.

Pyhäkosken voimalaitos ja asuntoalue, asemapiirustus 1:12000. Funktionalismin "Siedlung" on asettunut suomalaiseen metsään. Yksikerroksiset asuntosikermät toteutettiin vuosina 1940–1944. Vierasmaja ja sen sauna (ks. kuva 166) ovat ylhäällä vasemmalla.

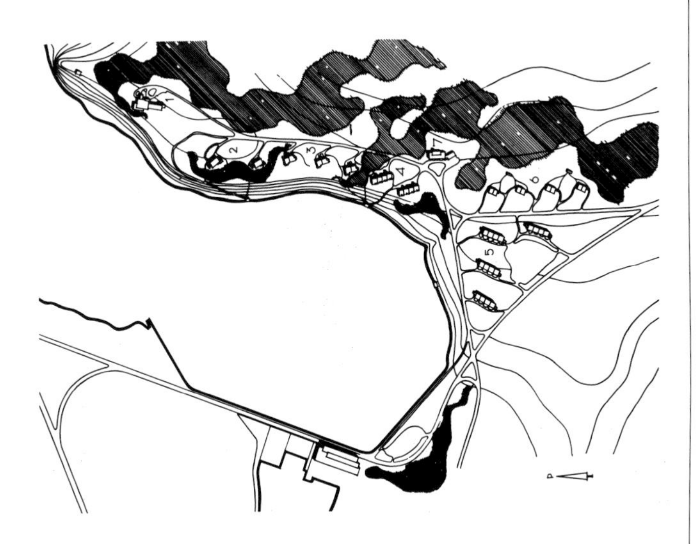

66, 67. Sotainvalidien ammattioppilaitos Liperissä rakennettiin 1946–1949 mm. tuberkuloottisten invalidien kuntoutustiloiksi. Arkkitehti Viljo Revellin ratkaisun lähtökohtana oli, että ympäristö tukee toimintaa: rakennuksissa luotiin läheinen suhde luontoon, maisemalliset arvot käytettiin hyväksi, eri työsalit, asunnot ja yhteistilat sijoitettiin itsenäisiksi

Closeness to nature and experiments in the austerity period – the reconstruction of the '40s

65, 68. The power stations on the Oulujoki river and their housing areas were one of the major projects of the reconstruction period. "A tourist attraction of even some international fame is now being harnessed to the service of technology, and through it, to the service of human life." (Finnish Architectural Review 1949) The scenery around the rapids changed, but the new environment was carefully planned. Aarne Ervi designed all the power stations and houses; most of them were built in the 1950s.
65. Pyhäkoski power station was the first to become operational (1949). The massive building (height of waterfall 32 m) continues in the Functionalist tradition, albeit in a slightly Classical vein. The building has its predecessors in the 1930s, such as Bryggman's Harjavalta power station (1939).
68. In the guest house of Pyhäkoski power station (1948) Ervi opens the interiors onto the riverside landscape and blends the exterior materials into the surrounding forest. The airy proportions, cosiness and intimate scale, the protective roofs and the sophisticated wood constructions dominate the overall impression, and decorative details are subordinate.

Pyhäkoski power station and housing area, town plan 1:12000. The Functionalist 'Siedlung' has settled in the Finnish forest. The clusters of single-storey houses were built between 1940 and 1944. The guest house and its sauna (picture 166) are up on the left.
(See the Finnish column).

66, 67. The trade school for war veterans in Liperi was built between 1946 and 1949, mainly as a rehabilitation centre for veterans with tuberculosis. The basis for Viljo Rewell's design was that the environment should support its functioning: the buildings were designed to harmonize with nature, the landscape was well utilized, the various workrooms and accommodation and social facilities were made into independent units to avoid a hospital-like atmosphere. The scant resources available and the rationing of building materials at the time dictated simplicity, but the well-designed wood constructions and, above all, the juxtaposition of outdoor and indoor spaces make for a varied result. The series of porches and terraces are 'aisles' that connect the building with its setting. Lake views open in both directions from the top of the ridge.
The students' sauna and washroom facilities are terraced up the slope; under a common roof they "fish in" the lake view, according to the architect.

Site plan 1:5000, plan of the restaurant and the hospital 1:1200. (See the Finnish column, next page).

69. The Vaalijala institution for mentally defective children was designed by Yrjö Lindegren after an invited competition. The first stage, including the central buildings, was construc-

◁ 62
Osuuskauppa, Sauvo.
Erkki Huttunen.

A co-op shop, Sauvo.
Erkki Huttunen.

yksiköiksi laitosmaisuuden välttämiseksi. Niukat voimavarat ja rakennusaineiden säännöstely pakottivat yksinkertaisuuteen, mutta harkitut puurakenteet ja ennen muuta sisä- ja ulkotilojen lomittuminen luovat monipuolisen ympäristön. Vilpoloiden ja lepoterassien tilasarjat ovat rakennusten luontoon liittyvinä "sivulavoina": harjun laelta avautuu näkymiä molemmin puolin kohti järviä.

Oppilaiden rantasaunan ja pesutuvan tilat on porrastettu rinteeseen, ja kokoavan katon suojassa ne, arkkitehdin sanoin, "pyydystävät" järvimaiseman sisään.

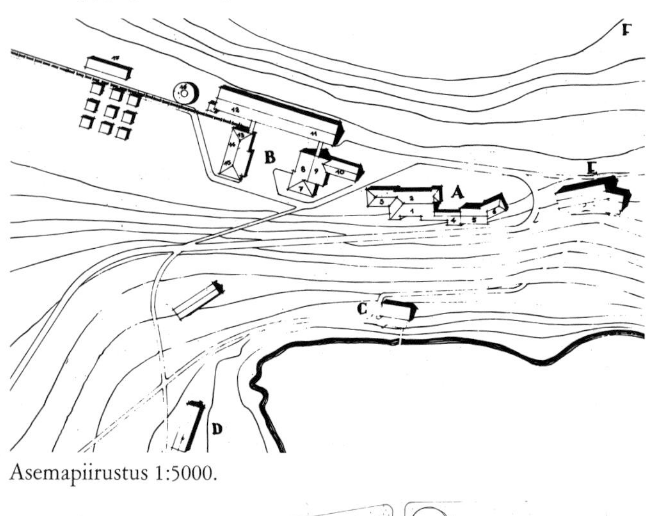

Asemapiirustus 1:5000.

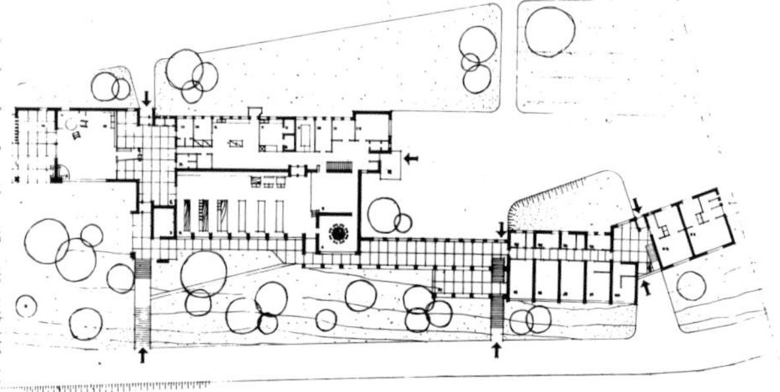

Ravintola ja sairaalatilat, pohja 1:1200.

69. Vaalijalan keskuslaitoksen lähellä Pieksämäkeä suunnitteli Yrjö Lindegren, ja ensimmäinen rakennusvaihe, johon kuuluivat keskeiset paviljongit, toteutettiin 1949–1950. Lindegrenin varhaisen kuoleman jälkeen (1952) rakennusryhmää on täydennetty Lindegrenin kokonaissuunnitelman pohjalta Aulis Blomstedtin suunnitelmien mukaan, mm. jyrkkäkattoinen kappeli valmistui v. 1964. Laitos on rakennettu vajaamielisten lasten hoitoa varten. Ratkaisun arkkitehtonisena runkona ovat maanpäälliset katetut ja lasiseinien suojaamat huoltokäytävät, jotka rajaavat eri osastojen ulkotiloja ja antavat alueelle, arkkitehdin sanoin, "rauhallisen luostarimaisen leiman".

Asemapiirustus 1:12000. (Ks. viereinen palsta.)

70. Kaukaan tehdas Oy:n virkailijoiden rivitalo rakennettiin Lauritsalaan v. 1947. Yrjö Lindegrenin suunnittelema rakennusryhmä on yhtä aikaa sekä karu että lämmin. Rakennusten julkisivu on suljetumpi kuin intiimi pihapuoli, josta asunnot avautuvat ulkoilmahuoneen välityksellä puutarhaan. Korkeat katot muistuttavat samanaikaista skandinavista arkkitehtuuria.

Alvar Aalto: kokeilukaupunki. Ihannesuunnitelma v:lta 1941, eräänlainen "metsäkaupungin" malli, jossa yhdyskunta sijoittuu teoreettiseen maastoon. Aallon mm. Sunilaan ja Kauttualle suunnittelemia rakennustyyppejä on sovitettu pienpiirteiseen kumpuilevaan maisemaan. (Ks. viereinen palsta.)

ted in 1949–50. After Lindegren's early death in 1952, the complex was added to after Lindegren's original plan; even in the new buildings, designed by Aulis Blomstedt, the pitched roofs that distinguish the overall appearance were used. The chapel, for instance, was completed in 1964. The architectural structure of the plan is based on covered, glasswalled access corridors which delineate the outdoor spaces of the different departments and, according to the architect, "give the place a peaceful cloisterlike atmosphere".

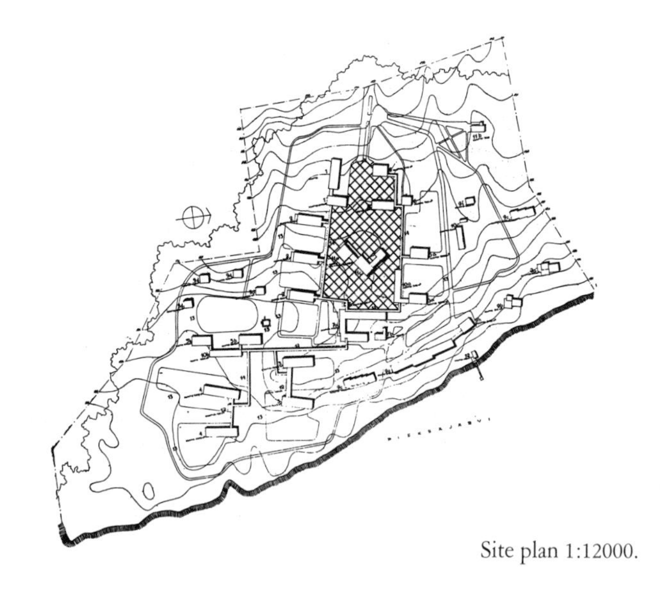

Site plan 1:12000.

70. The row house for the office staff of the Kaukas Oy. factory in Lauritsala was built in 1947. The complex, designed by Yrjö Lindegren, is simultaneously ascetic and warm. The buildings have a rather closed facade and a more intimate yardside elevation, where the houses open straight onto a garden via a conservatory. The high roofs are reminiscent of the Scandinavian architecture of the period.

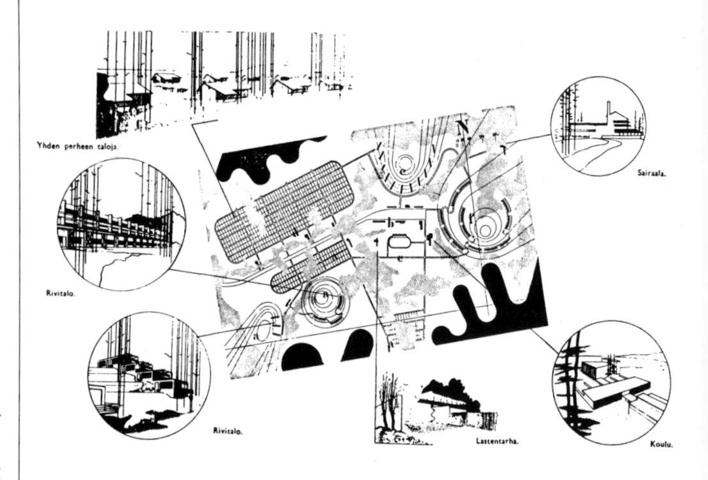

Alvar Aalto: an experimental town. An ideal plan dating from 1941, a sort of 'woodland town' model, in which a community is placed in a theoretical terrain. Building types designed by Aalto for Sunila and Kauttua have been fitted to a small-scale rolling landscape.

65
Pyhäkosken voimalaitos. Aarne Ervi.
Pyhäkoski power station. Aarne Ervi.

66, 67ab
Sotainvalidien ammattioppilaitos, Liperi. Viljo Revell.

The rehabitation centre for war veterans, Liperi. Viljo Revell.

68ab
Pyhäkosken voimalaitoksen vierasmaja. Aarne Ervi.

The guest house of Pyhäkoski power station. Aarne Ervi.

69ab
Vaalijalan vajaamielishoitola, Pieksämäki. Yrjö Lindegren.

The Vaalijala institution for mentally defective children, Pieksämäki. Yrjö Lindegren.

71a
Meriasema, Hel
ki. Hytönen ja
Luukkonen.

The Passenger
Quay, Helsinki.
Hytönen and
Luukkonen.

71b
Teollisuuskesku
Liiketalo ja hote
Helsinki. Viljo
Revell ja Keijo
Petäjä.

The office and h
tel building of t
Teollisuuskesku
('Industrial
Centre'), Helsin
Viljo Revell and
Keijo Petäjä.

70ab
Rivitalo, Lauritsala. Yrjö Lindegren.

A row house in Lauritsala. Yrjö Lindegren.

6

RAVINTOLA
PALACE
saneeraa
YHDYSPANKKI
SATAMALAITOS
HAMNVERKET
PORT AUTHORITY
MATKA-KALEVA
SYP FBF
SYP FBF

72, 73ab
Säynätsalon kunnantalo. Alvar Aalto.
Säynätsalo Town Hall. Alvar Aalto.

Uusi arkkitehtuuri on kasvanut perinteeksi - 1950-luvun kultakausi

71a. Helsingin Meriaseman rakennukset muodostavat kiinteän taustan merelle ja laivoille, ja virtaviivainen betonirakenteinen sadekatos johdattaa matkustajat kaupungin puolelle kohti historiallista keskustaa: taustalla on Nikolainkirkko. Tämän v. 1952 valmistuneen ns. Olympialaiturin arkkitehteinä olivat Hytönen ja Luukkonen, avustajana Ahti Korhonen.

71b. Teollisuuskeskuksen konttori- ja hotellirakennus, sen porrastettu siluetti ja korttelinmittaiset ikkunanauhat liittyvät suurpiirteisesti Helsingin meririntamaan. Kun Viljo Revellin ja Keijo Petäjän suunnittelema rakennus valmistui olympiavuonna 1952, siitä heti tuli tärkein esimerkki suomalaisen arkkitehtuurin paluusta funktionalismin linjoille.

72, 73. Säynätsalon kunnantalo (kilpailuluonnos 1949, rakennettu -1952) oli ensimmäinen kotimaassa toteutettu Alvar Aallon suunnittelema punatiilinen julkinen rakennus. Siitä tuli 1950-luvun suomalaisen arkkitehtuurin avainteos. Pohjakerroksen arkisemmat myymälä- ja palvelutilat liittyvät ajateltuun aukiotilojen sarjaan, kun taas kirjasto ja kunnan hallinnon tilat on nostettu ylemmän pihan, kokoavan pation äärelle. Pienen kunnan itsehallinnon symboli on kuutiomainen istuntosali, jonka sisäkaton kannattajat ovat kuuluisa esimerkki Aallon käyttämistä puurakenteista.

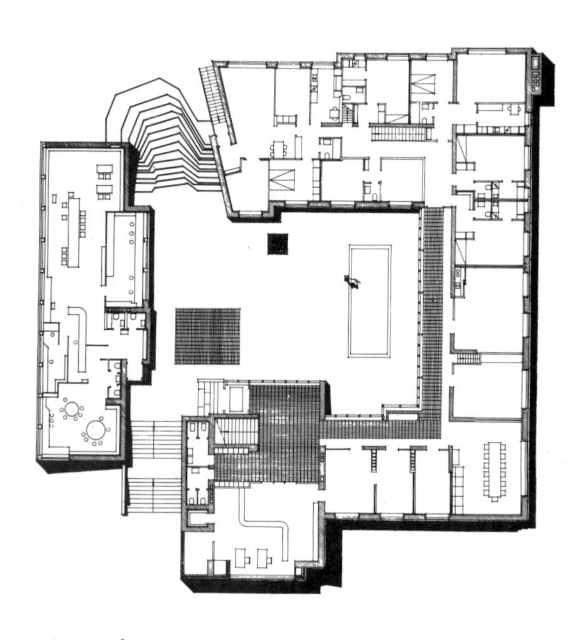

Patioon liittyvä kerros 1:600.

76a. Kansallisteatterin pieni näyttämö valmistui Helsinkiin v. 1954 vuosisadan vaihteessa rakennetun teatterin laajennukseksi, arkkitehteina Kaija ja Heikki Siren.

76b, 77. Meilahden v. 1953 valmistunut kansakoulu Helsingissä oli uuden, jäykistä kaavioista vapautuneen koulusuunnittelun ensimmäisiä esimerkkejä. Rakennus kehystää suojattua pihamaata, jonne aula ja luokkahuoneet avautuvat. Ratkaisu perustuu Viljo Revellin ja Osmo Siparin v. 1949 voittaneeseen kilpailuehdotukseen.

78, 79 Jyväskylän yliopiston keskeisen rakennusryhmän pohjana on Alvar Aallon suunnittelema, kilpailun v. 1950 voit-

The growth of a new tradition - the golden age of the '50s

71. Visitors to the Olympic Games in 1952 were met by new Finnish architecture in Helsinki's South Harbour, just off the old city centre.

71a. The clinker-faced buildings of the Passenger Quay form a solid backdrop to the sea and ships, and a streamlined concrete covered way leads passengers towards the old city centre: the Cathedral is in the background. This 'Olympia Quay' was designed by Hytönen and Luukkonen and completed in 1952.

71b. The office and hotel building of the Teollisuuskeskus ('Industrial Centre'), with its terraced silhouette and bands of windows stretching the length of the block, forms a major part of the city's seaward skyline. The building, designed by Viljo Revell and Keijo Petäjä (1st prize in the competition in 1949), became on its completion in 1952 a prime example of the return to Functionalism in Finnish architecture. It was homogenously designed down to its interiors and furniture, and thus perpetuated the ideal of a total work of art handed down from the turn of the century. The interiors have only partially preserved their character.

72, 73. Säynätsalo Town Hall, constructed in 1950–52, was the first public red-brick building by Alvar Aalto erected in Finland, and became the key work for all of Finnish architecture in the 1950s. The everyday shop and service facilities on the ground floor link up with a considered series of outside spaces, while the library and administrative facilities are gathered around a courtyard - a central patio flanked by well-lit lobbies and office corridors - higher up the slope (73b). The cubic council chamber symbolizes the autonomy of this small municipality; its ceiling is carried by examples of Aalto's famous wooden structures (73a).
The complex yet crystal-clear form of the building makes it impressively monumental: yet viewed on location, the scale is surprisingly intimate.

Patio floor 1:600. (See the Finnish column).

76a. The small stage of the Finnish National Theatre in Helsinki was completed in 1954 as an annexe to the theatre building, built at the turn of the century. The annexe was designed by Kaija and Heikki Siren. The new auditorium, its lobby and the restaurant originally situated on the ground floor are clearly reflected in the closed and open surfaces of the exterior. The dark clinker elevation makes a suitable backdrop to Kaisaniemi park, although it was designed primarily to withstand the smoke and soot from the nearby railway station.

76b, 77. Meilahti primary school in Helsinki, built in 1953, was one of the first schools to be free from strict, formalistic school design. The dynamic curves remind one of, say, Brazilian architecture at the time. However, the building suits its location well; it frames the pine grove and the sheltered yard onto which the foyer and classrooms open. The building is based on the winning entry of architects Viljo Revell and Osmo Sipari, in the 1949 competition.

78, 79. The central complex of the University of Jyväskylä is based on Alvar Aalto's winning entry in the 1950 competition. The main building and the first buildings flanking the

tanut ehdotus. Ensimmäiset liikenteeltä suojattua yliopistokenttää kehystävät rakennukset toteutettiin 1953–1956.

Nuoren Aallon mielessä Keski-Suomen kumpuilevat maisemat olivat väikkyneet uuden suomalaisen renessanssin Toskanana, ja Jyväskylän yliopiston rakennusryhmässä ihanne tavallaan toteutuu: klassinen kulttuurimaisema ja suomalainen luonto yhtyvät.

Asemapiirustus.

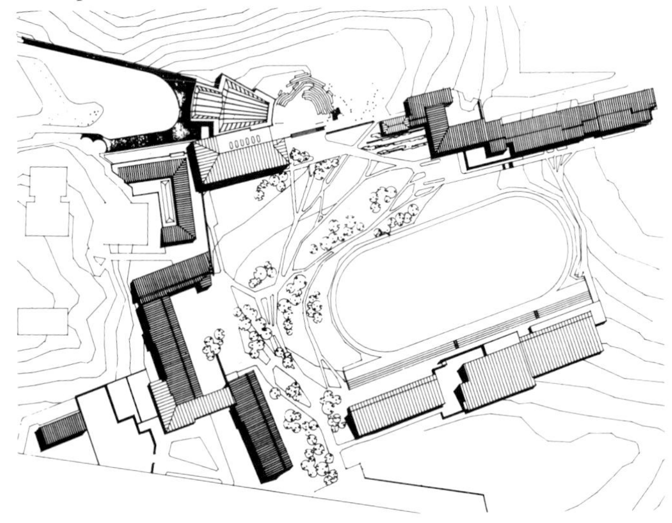

80–81. Helsinkiin v. 1955–1958 rakennettu Kulttuuritalo on esimerkki Alvar Aallon jo 1930-luvulta lähtien käyttämien veistoksellisten muotojen kehittelystä. Salin epäsymmetrinen, simpukkamainen muoto on myös katusivun pääaihe. Vapaa kaarimuoto edellytti kiilamaisen erikoistiilen kehittämistä. Saliosan vastakohtana on suorakulmainen toimistosiipi: yhdessä ne muodostavat suojatun etupihan. Vastakohtaisista aineksista Aalto luo kokonaisuuden.

82. Helsingin Taka-Töölöön 1954–1956 rakennettu Kansaneläkelaitos on myös esimerkki Alvar Aallon julkisista rakennuksista, joiden julkisivujen päämateriaaleina ovat punatiili ja kupari. Sisääntulopuoli liittyy ympäröivien kortteleiden rajoittamaan aukioon, samalla se erottuu niistä tärkeänä julkisena rakennuksena. Monumentaalisen pääsivun vastakohtana ovat puutarhan ympärille porrastuvat henkilökunnan huoneet ja yhteistilat. Suuri virasto ei ole epäinhimillinen, koska se jakautuu pienempiin yksilöllisiin osiin. Rakennus on suunniteltu sisätiloistaan käsin – samalla kun se liittyy laajaan kaupunkirakenteeseen: puutarha avautuu kohti pitkää puistoakselia.

83. Helsingin työväenopiston v. 1959 valmistunut laajennus on Aulis Blomstedtin päätyö ja edelleenkin hienoimpia esimerkkejä vanhan rakennuksen laajentamisesta. Työväenopiston v. 1927 valmistunut vanha osa Helsinginkadun varrella suunniteltiin kaupunginarkkitehti Gunnar Taucherin johdolla, ja se kuuluu 1920-luvun klassismin pääteoksiin Helsingissä. Laajennus jää päärakennuksen taustaksi, yhteistä rakennuksille ovat punnitut harmoniset suhteet. Loivat viistokatot kuuluvat myös taustalla kohoavan Kallion kirkon, (Lars Sonck), juurella olevaan kaupunginosaan.

Leikkaus 1:800, uusi osa oikealla. (Ks. viereinen palsta.)

84, 85. Kaija ja Heikki Sirenin suunnittelema Otaniemen teekkarikylän v. 1956–1957 rakennettu kappeli kiteyttää eräät 1950-luvun ihanteet: selkeät muodot, joille puhtaaksi muurattu tiili ja puu antavat lämpöä, viistot katot, jotka luovat sisätiloihin väljyyttä, ja liittymisen luontoon.

campus, which is shielded from traffic, were built between 1953 and 1956. The town's main street extends into the driveway leading up to the main entrance. The interiors show Aalto's main architectural themes in all their splendour: the continuous staircase with its skylights and the foyer opening onto the ridge landscape.

In the mind of the young Aalto, the undulating scenery of Central Finland represented the Tuscany of the new Finnish Renaissance, and this ideal is to some extent realized in the Jyväskylä University complex: a manmade Classical scene and the Finnish landscape are one.

Site plan. (See the Finnish column).

80, 81. Kulttuuritalo ('House of Culture') concert hall, built in Helsinki in 1955–58, is an example of the strong, sculptural forms developed by Aalto since the 1930s. The asymmetrical, conchlike form of the concert hall is echoed in the streetside elevation: the free curve required the manufacture of a special kind of wedge-shaped brick. The convex hall is contrasted by the orthogonal office wing; together, they flank the sheltered front court. A long covered way ties the streetside elevation together. Aalto creates unity out of disparate elements.

82. The Social Insurance Institution, built in Töölö, Helsinki, in 1954–56, is another of Alvar Aalto's public buildings featuring red brick and copper. The entrance side faces a square surrounded by stone apartment blocks and stands out from among them as a public building should. The terraced staff and joint facilities around the garden contrast with the monumental facade. This is a large office building that has not become inhuman; it is divided into smaller individual parts. The building was designed from the inside out, but at the same time it is integrated with the cityscape: the garden opens out towards a long strip of park.

83. The annexe to the Helsinki Workers' Institute (1950) is the main work of its architect, Aulis Blomstedt, and remains one of the finest examples of an extension to an old building. The old part of the Workers' Institute on Helsinginkatu (1927) was designed under the supervision of city architect Gunnar Taucher; it is one of the most important buildings of the '20s Classical period in Helsinki. The new part is connected to the old by a shared stairwell on the south side: the calculated harmonious proportions suffice to connect the annexe to the old main building, to which it forms a tranquil background. The gently sloping roofs blend in with the buildings at the foot of Kallio church, (by Lars Sonck), seen in the background.

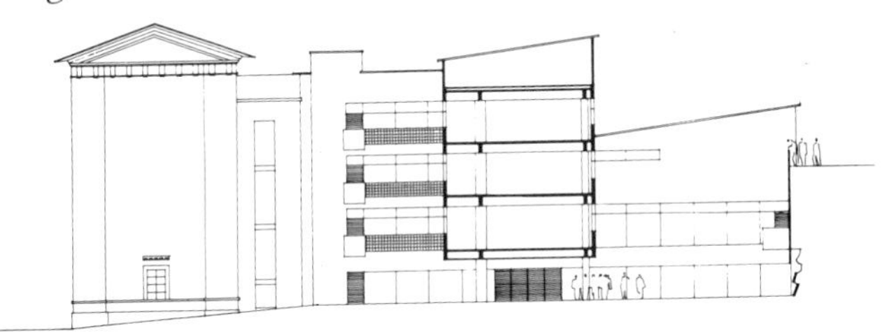

Section 1:800, the annexe to the right.

84, 85. The chapel in the student campus of the University of Technology in Otaniemi (1956–57) crystallizes some of the ideals of the '50s: simple forms given warmth by fairface brick and wood, sloped roofs that create spacious interiors, close contact with nature. The core of Kaija and Heikki Siren's plan is a series of rooms running from the fenced forecourt through the low foyer to the sharply rising chapel proper. The latter's glass altar wall opens onto a tranquil forest view.

a

76a
Kansallisteatterin pieni näyttämö, Helsinki. Kaija ja Heikki Siren.
The small stage of the Finnish National Theatre, Helsinki. Kaija and Heikki Siren.

76b, 77
Meilahden kansakoulu, Helsinki. Viljo Revell ja Osmo Sipari.
Meilahti primary school, Helsinki. Viljo Revell and Osmo Sipari.

b

78ab, 79
Jyväskylän yliopiston päärakennus. Alvar Aalto.
The main building of the University of Jyväskylä. Alvar Aalto.

80 ▷, 81 ▷▷
Kulttuuritalo, Helsinki. Alvar Aalto.
'House of Culture', Helsinki. Alvar Aalto.

82ab
Kansaneläkelaitos, Helsinki. Alvar Aalto.
The Social Insurance Institution, Helsinki. Alvar Aalto.

83abc
Helsingin työväenopiston laajennus. Aulis Blomstedt.

The annexe to the Helsinki Workers' Institute. Aulis Blomstedt.

84ab▷, 85 ▷▷
Otaniemen kappeli, Espoo. Kaija ja Heikki Siren.

The chapel in the student campus in Otaniemi, Espoo. Kaija and Heikki Siren.

7

86
Helsingin kaupungintalon uudistus. Aarno Ruusuvuori.
The renovation of Helsinki City Hall. Aarno Ruusuvuori.

87
Seinäjoen kirjasto. Alvar Aalto.
The library of Seinäjoki. Alvar Aalto.

88–89 ▷▷
Seinäjoen kaupungintalo ja kirkko. Alvar Aalto.
Seinäjoki Town Hall and the Cross of the Plains church. Alvar Aalto.

Yksilöllistä monumentaalisuutta ja suurten lukumäärien rationaalisuutta – 1960-luvun murroskausi

86. Pyrkimys pelkistyneeseen suurpiirteisyyteen 1960-luvun arkkitehtuurissa näkyy Aarno Ruusuvuoren suunnittelemassa Helsingin kaupungintalon saneerauksessa (kilpailu 1961, 1. vaihe toteutui 1970). Tilat vanhan seurahuoneen Engelin piirtämien julkisivujen ja 1800-luvun jälkipuolen juhlasalin välissä on raivattu ja korvattu lähes kauttaaltaan uusilla. Niitä hallitsevat Ruusuvuoren hiotut yksityiskohdat.

87–89. Seinäjoen keskus on esimerkki Alvar Aallon varsinkin 1960-luvulla moniin kaupunkeihin suunnittelemista, kokoavien aukiosommitelmien ympärille rakentuvista hallinto- ja kulttuurikeskuksista. Lakeuksien Risti, kirkko ja pohjanmaalaista maisemaa kauas hallitseva torni, rakennettiin v. 1958–1960 jo v. 1952 ratkaistun kilpailun pohjalta. Muu keskus perustuu suunnitelmaan vuodelta 1959. Kaupungintalo ja kirjasto valmistuivat 1965, kirkkopihaa ympäröivä seurakuntakeskus 1966. Teatteri toteutuu Aallon 1960-luvun luonnosten pohjalta 1980-luvun lopulla.

87. Monien muiden Aallon kirjastojen tapaan sisätila saa runsaasti epäsuoraa päivänvaloa yläikkunoista ja lukusali on porrastettu: syntyy avaria sisänäkymiä ja yksilöllisiä lukupaikkoja.

88–89. Kaupungintalo ja valtuuston sali on ulkoa päällystetty Aallon kehittämillä, tässä tapauksessa tummansinisillä klinkkerisauvoilla. Taustalla seurakuntakeskus ja Lakeuksien Risti.

92, 93. Reima ja Raili Pietilän suunnittelema Dipoli valmistui v. 1966 Espoon Otaniemeen Teknillisen korkeakoulun ylioppilaskunnan taloksi kilpailun (1961) pohjalta. Kuten kaikki Pietilän 1960-luvun työt, Dipoli on täysin ennakkoluuloton arkkitehtonisen muodon koe: tulos on odottamaton ja kuitenkin kauttaaltaan hallittu. Dipolin muototeemat kasvavat paikan topografiasta ja maaston muodoista. Rakennus muodostuu vapaamuotoisista sali-, aula- ja porrastilojen sarjoista ja suorakulmaisista toimisto-, kerho- ja aputiloista. Sisä- ja ulkotilat kuroutuvat toisiinsa, seinät ja ikkunat osallistuvat ympäröivän metsän rytmiin. Tilasta toiseen muodoltaan jatkuvasti muuntuvissa sisäkattojen laakeissa holveissa on osuvasti käytetty hyväksi valuun perustuvan betonitekniikan mahdollisuuksia.

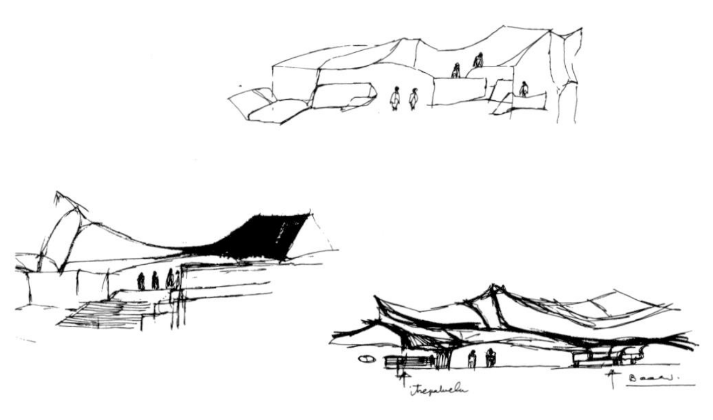

Reima Pietilä: Dipolin leikkausluonnoksia.

94, 95. Helsingin kaupunginteatteri jatkaa suomalaisessa arkkitehtuurissa 1950-luvulla alkanutta merkittävien julkisten rakennusten sarjaa, ehkä entistäkin suuremmalla otteella. Timo Penttilä voitti v. 1959 julistetun suunnittelukilpailun, ja ra-

Individual monumentalism and the rationalism of large quantities – the crisis of the '60s

86. The move towards streamlined simplicity in '60s architecture can be seen in the renovation of Helsinki City Hall, designed by Aarno Ruusuvuori (competition in 1961, first stage executed by 1970). The areas between Engel's facade and the main hall built in the late 19th century were stripped and almost totally rebuilt. They are now dominated by Ruusuvuori's polished detail.

87–89. The centre of Seinäjoki is an advanced example of the type of administrative and cultural city centres, grouped around a set of central squares, designed by Aalto in the 1960s. The Cross of the Plains – a church with tower which dominates the Ostrobothnian landscape from far off – was built in 1958–60 as the result of a competition judged in 1952. The rest of the centre is based on a project from 1959; the town hall was built in 1965, the library in 1965 and the parish centre around the church in 1966. The theatre will be realized in the late '80s to Aalto's sketches from the '60s.

87. As in many other Aalto libraries, the interior takes indirect daylight from clerestory windows and the reading room is terraced, creating spacious interiors and individual reading spots.

88–89. The town hall and council chamber are faced on the outside with clinker louvres developed by Aalto, dark blue in this case. The parish centre and the Cross of the Plains church can be seen in the background.

92, 93. Dipoli, designed by Reima and Raili Pietilä (whose entry won the competition in 1961), was built by 1966 in Otaniemi, Espoo, originally for the students of the University of Technology. Like all of Pietilä's work in the '60s, Dipoli is a totally unprejudiced experiment in architectural form: the result is unexpected but still controlled. The formal themes in Dipoli grow out of the topography of the site. The building is formed of free-form hall, foyer and stairway, and orthogonal office, clubroom and auxiliary facilities. The interior and exterior spaces intermingle, walls and windows participating in the rhythm of the surrounding forest. The continually changing flat vaults of the ceiling exploit the forms made possible by cast concrete.

Reima Pietilä: section sketches of Dipoli. (See the Finnish column).

94, 95. Helsinki City Theatre continues the series of major Finnish public buildings begun in the '50s. Timo Penttilä won the design competition in 1959, and the building was completed to his plans in 1967. The large theatre building and its stage tower have been well fitted into the landscape. The foyer opens onto the surrounding park and Helsinki's inner bays.

96. Kouvola town hall (1964–68) was also the result of an open competition. Architects Bertel Saarnio and Juha Leiviskä have created one of the most significant public buildings of the decade, a town hall which truly is the all-embracing symbol of its community. The building and the squares surrounding it form a real urban unit. The council hall is situated above the stairway leading from beside the belltower to the courtyard. The public foyer and corridors open onto a central courtyard through which the public has free access. The design is firm but relaxed. The building is one of the first

kennus valmistui hänen suunnittelemanaan 1967. Suuri teatteritalo ja sen näyttämötorni on taitavasti sovitettu maastoon. Aulatilojen sarja avautuu puistoympäristöön kohti Helsingin sisälahtia.

96. Kouvolan kaupungintalo (1964–1968) on myös toteutettu yleisen arkkitehtikilpailun pohjalta. Arkkitehdit Bertel Saarnio ja Juha Leiviskä ovat luoneet yhden vuosikymmenen merkittävimmistä julkisista rakennuksista, kaupungintalon, joka on kuntansa kokoava symboli. Valtuuston sali on nostettu kellotapulin vierestä pihalle johtavien portaiden yläpuolelle. Yleisön hallitilat ja käytävät avautuvat kokoavalle sisäpihalle. Arkkitehtuuri on samalla kiinteätä ja elävää. Rakennus on Leiviskän ensimmäisiä merkittäviä töitä, joissa näkyy hänen muista 1960-luvun suuntauksista riippumattoman työnsä jälki.

97. Juha Leiviskän suunnittelema Nakkilan seurakuntakeskus on rakennettu 1968–1970 kuin kyläksi Erkki Huttusen funktionalismin kauden kirkon (1935–1937) juurelle. Seurakuntatilat on jaettu kolmeen pieneen rakennussiipeen. Niiden räystäskorkeus on sama, mutta sisätilat porrastuvat maaston mukaan. Valoisat sisätilat ovat arkkitehtuurin kamarimusiikkia.

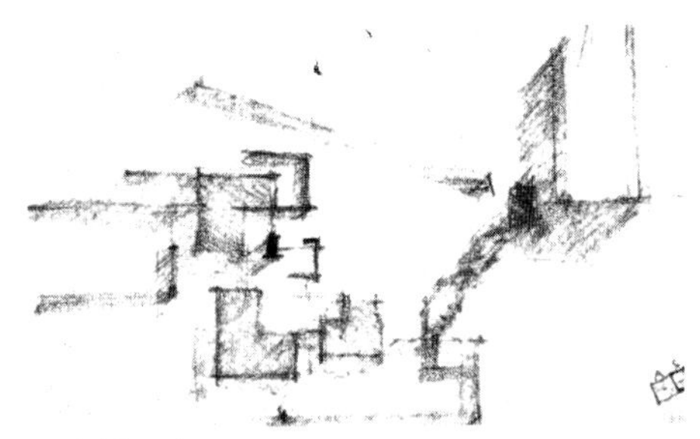

Pohja, Juha Leiviskän luonnos.

98. Eric Adlercreutzin 1960-luvulta lähtien mm. Tammisaaren vanhaan kaupunginosaan suunnittelemat rakennukset ovat edelläkävijäesimerkkejä uusien rakennusten hienovaraisesta liittämisestä vanhaan ympäristöön. Tammisaaren katunäkymässä vasemmalla puolella vanhojen puutalojen rinnalle 1960-luvulla rakennettu asuintalo ja motelli, oikealla 1700-luvulta periytyviin puutaloihin liittyvä motellin uudempi osa (1972). Rakennukset ovat muodoiltaan ja ratkaisuiltaan uudenaikaiset. Rakennukset täydentävät kuitenkin puukaupungin mittakaavaa ja tilarakennetta, ne rajaavat katua ja muodostavat pihapiirin. Päämateriaali on maalattua puuta. Uudet rakennukset on suunnitellut arkkitehtitoimisto E. Adlercreutz ja N.-H. Aschan.

Finlandia-talo

106–109. Finlandia-talo Helsingissä on Alvar Aallon 1950-luvulta lähtien toteuttamien suurten julkisten rakennustehtävien huipentuma, josta samalla näkyy Aallon taito luoda intensiivisiä sisätiloja. Avarat portaat ja valoisat hallit antavat juhlavat puitteet yleisön liikkeille, ja 1750 hengen sali kuuluu Euroopan kauneimpiin konserttitiloihin. Sen sivuseinien puusäleissä Aalto on vielä kerran käyttänyt tummansinistä väriään, indigoa. Konsertti- ja kongressitalo suunniteltiin ja rakennettiin 1962–1971, ja taloa laajennettiin kongressisiivellä 1973–1975. Se jatkaa Töölönlahden puolella rakennusrintamaa, puiston puolella kovera polveileva rakennus tekee tilaa vanhoille puille (kuva 106). Finlandia-talo on toteutunut osa Alvar Aallon Helsingin keskustasuunnitelmaa, jonka eri vaiheet julkistettiin 1961, 1964 ja 1972.

Alvar Aalto: Finlandia-talon pääkerroksen luonnos. (Ks. viereinen palsta).

important examples of Leiviskä's independence from the dominant trends of the '60s.

97. The parish centre of Nakkila, designed by Juha Leiviskä, was built in 1968–70 like a village around the Functionalist church designed by Erkki Huttunen (1935–37). The facilities have been divided into three small wings. Their exterior height is the same, but the interiors are terraced according to the terrain. The light-filled interiors are a kind of architectural chamber music.

Site plan, sketch by Juha Leiviskä. (See the Finnish column).

98. The buildings designed by Eric Adlercreutz since the '60s, for instance in the old part of Tammisaari, are pioneer examples of the discreet integration of new buildings into an old setting. In this view of Tammisaari, on the left a house and motel built alongside old wooden houses in the '60s, on the right the new part of the motel (1972), which links up with wooden houses dating from the 18th century. The buildings are modern in form and design, but at the same time they complement the scale and spatial structure of the wooden town, delineating the street and forming an inner yard; the principal material is painted wood. All the new buildings are by the architects' office E. Adlercreutz and N.-H. Aschan.

Finlandia Hall

106–109. Finlandia Hall in Helsinki is the culmination of the series of large-scale public projects designed by Alvar Aalto from the '50s on. It is also a summation of Aalto's ability to create intensive interiors. The spacious stairways and light-filled halls provide an imposing setting, and the concert hall, which seats 1,750 people, is one of the most beautiful in Europe. Aalto used his distinctive indigo colour once again in the wooden louvring on the interior walls.

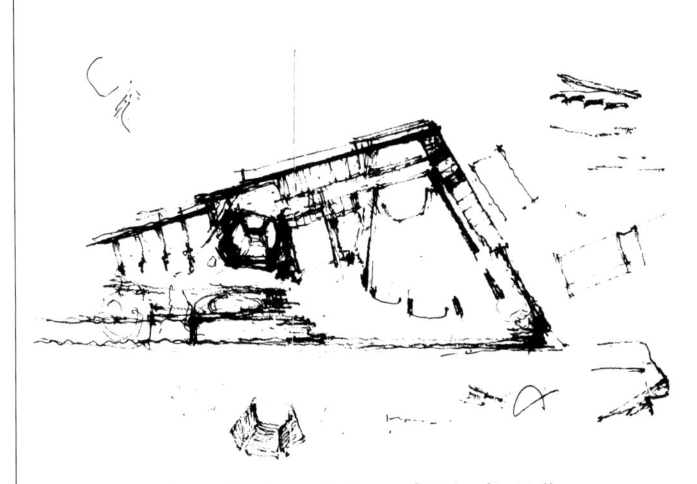

Alvar Aalto: Sketch for the main floor of Finlandia Hall.

The concert and congress hall was designed and built in 1962–71, and a congress wing was added in 1973–75. This wing continues the building's front on the Töölönlahti side and curves inwards to make room for some old trees on the park side (106). Finlandia Hall is a realized component in Alvar Aalto's design for a new Helsinki centre, the various stages of which were published in 1961, 1964 and 1972.

92, 93ab
Dipoli. Ylioppilaskunnan talo, Espoo. Reima ja Raili Pietilä.
Dipoli. Students' house, Espoo. Reima and Raili Pietilä.

94ab, 95
Helsingin kaupunginteatteri. Timo Penttilä.
Helsinki City Theatre. Timo Penttilä.

96ab
Kouvolan kaupungintalo. Bertel Saarnio ja Juha Leiviskä.

Kouvola Town Hall. Bertel Saarnio and Juha Leiviskä.

97ab
Nakkilan seurakuntakeskus. Juha Leiviskä.

The parish centre of Nakkila. Juha Leiviskä.

98ab
Motelli, Tammisaari.
Eric Adlercreutz.

The motel of Tammisaari. Eric Adlercreutz.

Betonia ja rakenteellisuutta

Varsinkin 1960-luvulla kehitettiin betonin käyttöä selkeän ja järjestelmällisen arkkitehtuurin luomiseen, samalla kun puhtaaksivaletun betonipinnan erilaisia tekstuureja käytettiin myös arkkitehtonisena ilmaisukeinona.

100a. Huutoniemen kirkko Vaasassa toteutettiin Aarno Ruusuvuoren suunnitelmien mukaan 1961–1964. Työkeskuksen tilat kehystävät seurakuntapihaa. Prismamainen kirkkosali erottuu muista tiloista. Muodon ja materiaalien pelkistyksellä ja elävällä päivänvalon käytöllä on luotu vakava harras tunnelma.

100b. Tapiolan kirkko on Ruusuvuoren toinen samanaikainen työ. Tapiolan keskustan suurempien rakennusten ympäröimänä se on muodoltaan pidättyväinen ja sulkeutuva.

101. Reilut muodot, selkeät rakenteet ja vankat suhteet ovat ominaisia Osmo Lapon suunnittelemille kouluille, uimahalleille ja varuskunnille. Vekaranjärven kasarmialueen keskus Valkealassa on rakennettu vaiheittain v. 1966–1974. Rakennuksia yhdistää puhtaaksivaletun betonin käyttö sekä sisä- että ulkopinnoissa. Pihan ympärillä yläkuvassa elokuvateatteri, urheilutalo ja sotilaskoti.

Yksilöllisyyttä karttava yleispätevyys tai rakenteita ja tekniikkaa korostava kurinalaisuus olivat 1960-luvulla esiin nousseen konstruktivistisen suuntauksen tavoitteita. Suuntaus monipuolistui 1970-luvun puolella.

102. Suomen taiteilijaseuran rivitalot Oulunkylässä Helsingissä ovat esimerkkinä Kirmo Mikkolan suunnittelemista monista ateljeetiloista. Oulunkylän talot rakennettiin Mikkolan ja Esko Lehden suunnitelmien mukaan v. 1974–1976. Siroilla rakenteilla ja vaaleilla pinnoilla on luotu ilmavaa arkkitehtuuria, jonka tiivis mittakaava tuo mieleen hollantilaisen asuntokulttuurin.

103. Arto Sipisen suunnittelema, vuonna 1974 valmistunut Jyväskylän yliopiston kirjasto ja sen viereiset uudet rakennukset liittyvät hyvin muodoiltaan ja materiaaleiltaan läheisiin, 1880-luvulta lähtien rakennettuihin entisiin seminaarirakennuksiin.

Muunneltavuus ja laajennettavuus ja niitä palveleva yleispätevä rationaalinen rakennejärjestelmä olivat 1960-luvulla tärkeäksi tulleen strukturalistisen suuntauksen tavoitteita.

104. Joensuun yliopiston uuden alueen ensimmäiset rakennusvaiheet ovat toteutuneet vuodesta 1975 lähtien, arkkitehteina Jan Söderlund ja Erkki Valovirta. Selkeiden punatiilisten rakennusten ryhmittelyllä on luotu suojattuja, mittakaavaltaan sopusuhtaisia yliopistopihoja.

105. Kari Virran suunnitteleman Oulun yliopiston ensimmäisissä rakennusvaiheissa (1973–1976), jotka perustuvat pohjoismaisen suunnittelukilpailun v. 1968 voittaneeseen ehdotukseen, "strukturalistiset" ajatukset on viety Suomen oloissa pitkälle. Eri osastot ryhmittyvät sisäisen keskusväylän varrelle, ja niillä on vahvat tunnistevärinsä.

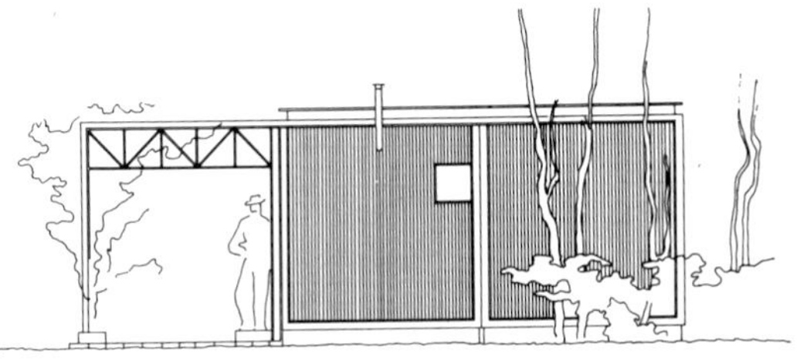

Suomalaisen konstruktivismin juuria: Aulis Blomstedtin kilpailuehdotus 1943, kasvava lomamaja. Julkisivu 1:150.

Concrete and Constructivism

The use of concrete in architecture developed especially fast in the '60s. Apart from the structural possibilities offered by concrete for creating plain and well-organized architecture, the various textures of a cast concrete surface were also used as a means of architectural expression.

100a. Huutoniemi church in Vaasa was built to plans by Aarno Ruusuvuori in 1961–64. The work centre surrounds the parish centre courtyard. The prismatic church stands clearly out from the other areas. A solemn sacral atmosphere has been created by the simplification of form and materials and the dynamic use of daylight.

100b. Tapiola church is another building of the same period by Ruusuvuori. Surrounded by the larger buildings in the centre of Tapiola, it is more introvert and restrained in form.

101. Ample forms, distinct constructions and firm proportions are characteristic of the schools, swimming baths and garrison complexes designed by Osmo Lappo. The centre of the Vekaranjärvi garrison in Valkeala was built in stages between 1966 and 1974. The buildings are linked by the use of cast concrete in both exterior and interior surfaces. Around the courtyard are the cinema, sports centre and soldiers' home.

The aims of the Constructivist movement which emerged in the '60s were universality avoiding individuality and discipline emphasizing constructions and technique. The movement became more diversified and relaxed in the '70s.

102. The row houses of the Artists' Association of Finland in Oulunkylä, Helsinki, are an example of the many studio houses designed by Kirmo Mikkola. The Oulunkylä houses were built to plans by Mikkola and Esko Lehti between 1974 and 1976. The delicate structures and light surfaces create an airy design whose intimate scale is reminiscent of Dutch architecture.

103. Jyväskylä University library, designed by Arto Sipinen (1974), and the new buildings adjacent to it harmonize in form and material with the old seminar buildings, the earliest of which date back to the 1880s. The interior features a floor plan based on a pervasive grid structure and strong primary colours.

Modifiability and expandability, and a universal rational construction system subservient to them were among the goals of the Structuralist movement which emerged in the '60s.

104. The first stages of the new part of the University of Joensuu, designed by Jan Söderlund and Erkki Valovirta, have been built since 1975. The plain red-brick buildings have been grouped to form sheltered, well-proportioned campus courtyards.

105. The first building stages of the University of Oulu (1973–76), designed by Kari Virta on the basis of his winning entry in a Nordic design competition in 1968, carried Structuralist concepts quite far in the Finnish context. The various departments are grouped around an internal central accessway, and they have strong, distinctive colours. (The appearance of the newer stages, built in the '80s, is different.)

The roots of a Finnish Constructivism: a competition entry of 1943 by Aulis Blomstedt, an expandable summer cabin. Elevation 1:150. (See the Finnish column).

b

100a
Huutoniemen kirkko, Vaasa.
Aarno Ruusuvuori.

Huutoniemi church, Vaasa.
Aarno Ruusuvuori.

100b
Tapiolan kirkko, Espoo.
Aarno Ruusuvuori.

Tapiola church, Espoo.
Aarno Ruusuvuori.

101ab
Vekaranjärven kasarmialueen keskus, Valkeala.
Osmo Lappo.

The centre of the Vekaranjärvi garrison, Valkeala. Osmo Lappo.

102ab
Ateljeerivitalot. Oulunkylä, Helsinki.
Kirmo Mikkola.

Studio row houses in Oulunkylä,
Helsinki. Kirmo Mikkola.

103ab
Jyväskylän yliopiston kirjasto. Arto Sipinen.

Jyväskylä University library. Arto Sipinen.

104
Joensuun yliopisto. Jan Söderlund ja Erkki Valovirta.
The University of Joensuu. Jan Söderlund and Erkki Valovirta.

105ab
Oulun yliopisto. Kari Virta.
The University of Oulu. Kari Virta.

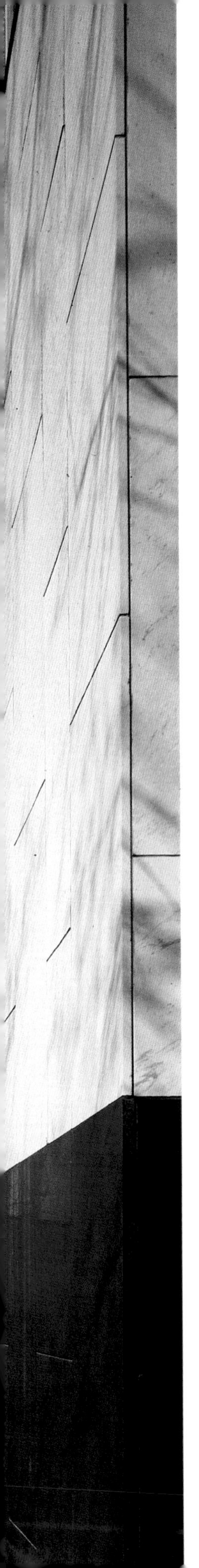

106, 107ab, 108–109 ▷
Finlandia-talo, Helsinki. Alvar Aalto.
Finlandia Hall, Helsinki. Alvar Aalto.

P
P

8

Uudistusta ja juuria etsimässä - arkkitehtuurin pyrkimyksiä 1970-luvun jälkeen

111. Erkki Kairamon Espoon Westendiin suunnittelemassa Asunto Oy Hiiralankaaren kerrostalossa (1981-1983) rakennuksen runko on täyselementtirakenteinen. Valoisia kuutiomaisia rakennuskappaleita rikastavat maalatut teräsrakenteet. Kirkas muoto, suhteiden varmuus ja ilmavuus ovat Kairamon arkkitehtuurin tunnusmerkkejä. Rakennukset ovat tuoreita ja samalla ne liittyvät luontevasti sekä funktionalismin että suomalaisen arkkitehtuurin perinteisiin.

Erkki Kairamo: asuintalon luonnos (viereinen palsta), vrt. kuva 142a.

112. Murikka, Pekka Helinin ja Tuomo Siitosen suunnittelema Metallityöväen liiton kurssikeskus valmistui v. 1977 Tampereen Teiskoon kilpailussa v. 1974 voittaneen ehdotuksen pohjalta. Hallittu rakenteellisuus on samalla vapautuneen suunnittelun perusta. Rakennusosat ovat suureksi osaksi tehdasvalmisteisia, julkisivuja peittävät kuparikasetit. Rakennusryhmän toisiinsa kytkeytyvien paviljonkien sijoittelulla on luotu elävä suhde rakennusten ja maiseman välille: syntyy jatkuvasti vaihtuvia näkymiä rakennuksesta toiseen ja luontoon.

114-115. Vanhojen rakennusten korjaukset ja muutokset uutta käyttöä varten ovat 1970-luvun jälkipuolelta lähtien tulleet yhä keskeisemmiksi rakennustehtäviksi.

114. Porin taidemuseon uudet tilat, pääsuunnittelijana Kristian Gullichsen, on v. 1977-1981 rakennettu Porin arvokkaan 1800-luvun kivikaupungin rannassa olevaan entiseen tullikamariin. Se rakennettiin alunperin C.J. von Heidekenin suunnitelmien mukaan v. 1864, ja tullikamaria laajennettiin Gustaf Nyströmin suunnitelmien mukaan v. 1897. Julkisivut on entistetty, sisäpuolelle on uuden kattorakenteen avulla rakennettu väljä yhtenäinen näyttelytila.

115. Suomen taideakatemian koulun tilat on rakennettu v. 1982-1984 Helsingissä Vanhan kirkon puiston varrella olevaan entisen tyttökoulun rakennukseen, suunnittelijoina arkkitehdit Matti Nurmela, Kari Raimoranta ja Jyrki Tasa. Alunperin Sebastian Gripenbergin suunnitteleman ja v. 1884 valmistuneen koulun sisätilat ja julkisivut - joissa on 1800-luvun loppupuolen koulujen tapaan hyvin suuret ikkunat - on kunnostettu. Pihan puolelle on lisätty tarvittava uusi porras lasiseinäisenä.

116-117. Tampereelle on 1970-luvun lopulta lähtien rakennettu mielenkiintoinen sarja Raili ja Reima Pietilän töitä. Hervannan uuden tytärkaupungin keskusta-akselia on suunniteltu vuodesta 1975 lähtien. Ankeana ja mittakaavaltaan karkeana toteutuneiden asuntoalueiden vastapainoksi Tampereen kaupunki on tilannut Pietilöiltä kaupunginosan elävöittäjiksi tarkoitettujen rakennusten suunnitelmia. 116. Vapaa-aika- ja seurakuntakeskus on valmistunut v. 1978. Raken-

Reform and the search for roots - architectural trends after the '70s

111. In the Hiiralankaari housing company apartment block in Westend, Espoo, designed by Erkki Kairamo (1981-83), the entire framework is made of prefabricated elements. The light-filled cubic sections are highlighted by painted steel trimmings. The clear shape, firmness of proportion and light airiness are characteristic of Kairamo's architecture and sufficient in themselves. The buildings have great freshness and at the same time they connect with the traditions of both Functionalism and Finnish architecture.

Erkki Kairamo: Sketch for an apartment house. Compare to picture 142a.

112. Murikka, the course centre of the Finnish Metal Workers' Union, designed by Pekka Helin and Tuomo Siitonen, was built by 1977 in Teisko, Tampere, on the basis of the winning entry in a 1974 competition. Its disciplined structurality also forms the basis for the freedom of design. The elements are largely prefabricated; the elevations are covered by copper cassettes. The interconnected complex forms a dynamic relationship between the buildings and the landscape: the views of one building from another and of the surroundings vary constantly.

114-115. Renovating and modifying old buildings for new uses has become an area of increasing importance since the late '70s.

114. The new premises of Pori Art Museum (chief designer Kristian Gullichsen) were built in 1977-81 in an ex-customs house on the waterfront of the dignified 19th century stone town of Pori. The customs house was originally built in 1864 after a plan by C.J. von Heideken and expanded to plans by Gustaf Nyström in 1897. The elevations have been restored and the inside converted into a spacious single exhibition hall using a new roof structure.

115. The premises of the school of the Fine Arts Academy of Finland were built in 1982-84 in an old girls' school building alongside Old Church Park in Helsinki; the renovation was

111 Kerrostalo. Westend, Espoo. Erkki Kairamo.

An apartment block, Westend, Espoo. Erkki Kairamo.

112ab
Metallityöväen liiton kurssikeskus, Tampere. Pekka Helin ja Tuomo Siitonen.

The course centre of the Finnish Metal Workers' Union, Tampere. Pekka Helin and Tuomo Siitonen.

nukset saavat linnoitusta muistuttavat ja lähimittakaavassa kosketeltavan pehmeät muotonsa punatiilimuurauksesta.
117b. Liikekeskus valmistui v. 1979. Sen arkkitehtuuri antaa kaariaiheineen kuvan perinteisestä kauppahallista. Kaupalliselle ympäristölle on onnistuttu antamaan uudella tavalla kansanomainen muoto.

117 a, c. Tampereen kaupungin pääkirjasto perustuu v. 1978 ratkaistun yleisen arkkitehtikilpailun voittaneeseen ehdotukseen. Kirjasto valmistui v. 1986. Rakennuksen voima on sen luontevassa tilaratkaisussa. Betonitekniikan mahdollisuuksia on käytetty hyväksi toisiinsa liittyvien väljien, kaarevien tilojen muovaamisessa ja kaariin perustuvissa kattoratkaisuissa.

Reima Pietilä: Tampereen kirjaston luonnos.

Pietilän muotoratkaisut ovat uusia ja ennakkoluulottomia. Kirjaston betonitekniikkaan perustuvat muodot liittävät sen myös Euroopan uuden arkkitehtuurin 1920-luvulta periytyviin kokeileviin suuntauksiin, samalla kun kaarimuodoissa voi nähdä yhtymäkohtia myös Frank Lloyd Wrightin myöhäiskauden töihin.

Koulut ja varsinkin lastentarhat ovat viime vuosikymmenen kuluessa tulleet arkkitehtuurin kehityksen kannalta tärkeiksi rakennustehtäviksi.

118. Oulunsalon yläasteen koulu (1981–1983) on esimerkki Heikki Taskisen koulurakennuksista, joiden huolitelluissa sisätiloissa on käytävien, portaiden, hallien ja salien muodostamia mielenkiintoisia tilasarjoja.
Oulun ympäristössä on 1970-luvun lopulta lähtien rakennettu huolella suunniteltuja rakennuksia, joissa näkyy "Oulun koulun" pyrkimys paikallisen omintakeisen arkkitehtuurin luomiseen.

119. Länsi-Säkylän päiväkoti (1980) on yksi Kari Järvisen ja Timo Airaksen suunnittelemista, esikuvallisiksi tulleista lastentarhoista. Kouluissaan ja päiväkodeissaan nämä arkkitehdit ovat sosiaalisten rakennustehtävien ja niitä säätelevien määräysten rajoissa onnistuneet luomaan eloisia rakennusryhmiä ja mittakaavaltaan lasten ympäristöksi sopivia, vaihtelevia sisätiloja. Rakennusryhmä sulkeutuu suojaavasti ulospäin, ja sisätilat ja katokset ryhmittyvät pihapiirin ympärille.

120. Käpy ja Simo Paavilaisen suunnittelema Paimion uusi seurakuntatalo (1980–1984) on osoitus rakennuksen suunnittelijoiden omaperäisistä, uusista pyrkimyksistä. Rakennusten jännite syntyy vastakohtaisten ja ristiriitaistenkin osien yllättävästä yhdistämisestä. Sisäpuolta hallitsee vaihteleva aulatilojen sarja. Materiaalien käsittelyssä ja korostetussa monivärisyydessä voi nähdä yhtymäkohtia m. 1920-luvun pohjoismaiseen klassismiin, jota Simo Paavilainen erityisesti on tutkinut.

designed by architects Matti Nurmela, Kari Raimoranta and Jyrki Tasa. The interiors and elevations of the school, originally designed by Sebastian Gripenberg and built in 1884, have been restored. The elevations feature very large windows after the manner of late 19th century schools. The required new staircase, with glass walls, was situated conspicuously on the yard side.

116–117. An interesting series of buildings by Raili and Reima Pietilä has been built in Tampere since the late '70s. The centre axis of the new suburb of Hervanta has been worked on since 1975. As a contrast to the bleak and oversized housing areas, the City of Tampere commissioned plans for buildings to enliven the suburb from the Pietiläs.

116. The leisure and parish centre was completed in 1978. The fortress-like, yet soft forms are due to the red brick used.

117b. The business centre was completed in 1979. The architecture, with its arch motifs, suggests a traditional market hall. A new sort of folk-style form has been given to a commercial environment.

117 a, c. Tampere Library is based on the prize-winning entry in an open competition in 1978. The Library was completed in 1986. The power of the building lies in its convincing spatial arrangement. The potential of concrete techniques has been exploited in the shaping of the curving interconnected spaces and the roof structures, which are based on arches.

Reima Pietilä: Sketch for Tampere Library. (See the Finnish column).

Pietilä's forms are new and unexpected. They are, in a way, a phenomenon parallel to the newest international architecture. The advanced experimental concrete techniques used in the library also link it with the experimental movements in European architecture which emerged in the '20s, and it is even in some way related to the late works of Frank Lloyd Wright.

Schools and kindergartens have played an important role in the development of architecture over the past decade.

118. Oulunsalo secondary school (1981–83) is an example of Heikki Taskinen's school buildings, which contain interesting series of stairways, hallways and halls.
Many carefully designed buildings in the vicinity of Oulu built since the late '70s show the wish of the architects of the "Oulu School" to create distinctive local regional architecture.

119. The day-care centre of West Säkylä (1980) is an example of the exemplary kindergartens designed by Kari Järvinen and Timo Airas. In schools and day-care centres, these architects have managed, even within the confines of these social commissions and the regulations governing them, to create dynamic building groups and interiors on a scale suitable for children. The complex is shelteredly introvert, and the interiors and covered areas are grouped around the courtyard.

120. The new parish centre of Paimio, designed by Käpy and Simo Paavilainen (1980–84), is an example of an original approach reflecting new trends which has already attracted international interest. The tension in the buildings is created by the combination of contrasting and even conflicting elements. The interior is dominated by a series of varying foyers. The materials and emphatic use of several colours hark back to the Nordic Classicism of the '20s, on which Simo Paavilainen is an expert.

114ab
Porin taidemuseo. Kristian Gullichsen.
Pori Art Museum. Kristian Gullichsen.

115
Taideakatemian koulu, Helsinki.
Nurmela, Raimoranta, Tasa.

The school of the Fine Arts Academy, Helsinki.
Matti Nurmela, Kari Raimoranta, Jyrki Tasa.

116ab Hervannan vapaa-aikakeskus ja seurakuntakeskus, Tampere. Raili ja Reima Pietilä. The leisure and parish centre of Hervanta, Tampere. Raili an Reima Pietilä.

a

117b Hervannan liikekeskus, Tampere. Raili ja Reima Pietilä.
The business centre of Hervanta, Tampere. Raili and Reima Pietilä.

c

117ac Tampereen pääkirjasto. Raili ja Reima Pietilä.
Tampere Library. Raili and Reima Pietilä.

118ab
Oulunsalon yläasteen koulu. Heikki Taskinen.

Oulunsalo secondary school. Heikki Taskinen.

119ab
Lastentarha, Säkylä. Kari Järvinen ja Timo Airas.

The day-care centre of West Säkylä. Kari Järvinen and Timo Airas.

121 Tapiola, Espoo.

120ab Paimion seurakuntatalo. Käpy ja Simo Paavilainen. The parish centre of Paimio. Käpy and Simo Paavilainen.

9

Asuinympäristön ihanteet – hyvää arkiympäristöä ja uusia kokeiluja

124, 125. Sosiaalinen asuntoreformi ja ehjä kaupunkimainen rakentaminen olivat tavoitteena 1910-luvun lopulla sekä seuraavalla vuosikymmenellä. Niukoin keinoin luotiin rauhallisia ja samalla vivahteikkaita katunäkymiä.

124. Käpylän puutarhakaupunki, joka rakennettiin 1920–1925, jatkoi omalla tavallaan suomalaisen puukaupungin perinnettä ja mittakaavaa. Säästörakentamisesta huolimatta asuntoihin kuuluu puutarha ja oma käynti.

125. Armas Lindgrenin alunperin Kone- ja sillan työväenasunnoiksi suunnittelema kortteli Helsingin Vallilassa on parhaiten toteutettuja esimerkkejä kerrostalorakentamisen ihanteesta, yhtenäisestä suurpihakorttelista, joka oli suosittu mm. kaikissa Pohjoismaissa ja erityisesti Kööpenhaminassa. Vallilan korttelin ensimmäinen vaihe suunniteltiin ja toteutettiin 1916–1919 ja toinen vaihe muutettuna osittain kunnan asunnoiksi 1927–1929. Lindgrenin arkkitehtuurille on ominaista itsenäinen, vapautunut suhde historiallisiin vaikutteisiin, se on samalla rikasta ja hillityn kultivoitua.

126–129a. Parhaiten toteutuivat funktionalismin ihanteet, avoin rakennustapa ja väljyys, eräillä teollisuuslaitosten rakennuttamilla uusilla asuntoalueilla. Alvar Aallolla oli 1930-luvulla tilaisuus kehittää uusia luontoon sijoittuvia asuntomuotoja.

126–127. Ainoa Kauttualle valmistunut terassitalo (1939) Aallon suunnittelemasta "portaattomien kerrostalojen" ryhmästä.

128. Sunilaan 1938–1939 rakennettuja Aallon suunnittelemia työväen asuintaloja: porrastettu rinnetalo, jossa jokaisessa asunnossa on oma sisäänkäynti ja ulkotila, sekä kolmikerroksinen kaitiotalo. Tervatut puukaiteet tai tiilen liettäminen pehmentävät muuten kirkkaan valkoisten talojen materiaalivaikutelmaa.

129a. Aalto käytti jo Inkeroisiin 1938–1939 valmistuneissa työväen asuintalojen ns. Tervariveissä puurakenteita, kuisteja ja yksityiskohtia jälleenrakennuksen kaudella yleistyneeseen tapaan.

Tyypillisimmät jälleenrakennuskauden omakotitalot perustuvat arkkitehtien varhaisen standardointityön tuloksina syntyneisiin malleihin.

129b. Omakotitaloja Kauttualla, missä Alvar Aallon jo 1930-luvun lopulta Ahlström Oy:lle kehittämiä tehdasvalmisteisia ns. AA-järjestelmän mukaisia puutalotyyppejä sovellettiin 1940-luvun asuntoalueilla.

129c. Erik Bryggmanin suunnittelemat työväen asunnot Turun Pansiossa rakennettiin 1946–1947 sotakorvausteollisuuden tarpeisiin. Vaikka istutukset jäivät kesken ja talojen yksityiskohdat ovat muuttuneet, ruukinkatuja tai pohjoimaisia pikkukaupunkeja muistuttava tunnelma on yhä aistittavissa.

130. Helsingissä vanha Olympiakylä oli ensimmäinen yhtenäinen asuntoalue, jossa funktionalismin suunnitteluperiaatteet toteutuivat. Samalla se oli maan ensimmäinen huomattava yleishyödyllisen rakentamisen kohde. Pääosa taloista rakennettiin 1939–1940, suunnittelijoina Hilding Ekelund ja Martti Välikangas, ja 1940-luvulla toteutetut osat suunnitteli Ekelund yksin. Kapearunkoisissa kaitiotaloissa tai pienissä pistetaloissa pienetkin asunnot ovat valoisia. Vapaasta sijoit-

Ideals of the living environment – comfortable everyday surroundings and new experiments

124, 125. The late 1910s and the next decade as well aimed at social housing reform and uniform urban construction. Tranquil, yet variegated, street environments were created with sparing means.

124. Käpylä garden suburb, built in 1920–1925, continued the Finnish wooden town tradition and scale in its way. Despite economy of building, each dwelling has its own garden and entrance.

125. The block in Vallila, Helsinki, originally designed as workers' dwellings by Armas Lindgren is one of the finest examples of the ideal apartment block construction, a uniform construction with the large yard popular in the cities of other Nordic countries, especially in Copenhagen. The first stage of the Vallila block was designed and executed in 1916–1919 and the second stage, partially converted into municipal housing, in 1927–1929. Lindgren's architecture is characterized by an independent free relationship to historical influences; it is rich yet composed and deeply civilized.

126–129a. Superb manifestations of Functionalist ideals – open construction and spaciousness – were the residential areas built by large industrial plants. Alvar Aalto was given the opportunity to develop new nature-oriented dwelling forms in the 1930s.

126–127. The only row house completed in Kauttua (1939) of the 'stairless apartment house' group designed by Aalto.

128. Workers' housing built in Sunila in 1938–1939 to Aalto's plans: terraced houses on a slope, each dwelling having its own entrance and outdoor space, plus a three-storey narrow slab block. The tarred wooden railings and white-washed brick tone down the bright white material of the buildings.

129a. Aalto used wooden structures, porches and details in the manner favoured in the reconstruction period as early as 1938–1939 in the workers' housing, the 'Tar rows', in Inkeroinen.

The most typical single-family houses of the reconstruction period were based on models created by the early standardizing work of architects.

129b. Houses in Kauttua, where the 'AA system' house type, developed by Alvar Aalto in the late 1930s for mass production by Ahlström, was applied to residential areas in the 1940s.

129c. Workers' housing in Pansio in Turku, designed by Erik Bryggman, was built in 1946–1947 for the needs of the war reparation industry. Although there is less greenery than originally planned and details have been changed, something of the atmosphere of an iron works community or a small Nordic town is still discernible.

130. The old Olympic village was the first uniform residential area in Helsinki in which Functionalist design principles were put into practice. It was also the first significant project built by a public utility housing company in Finland. Most of the houses were built in 1939–1940, designed by Hilding Ekelund and Martti Välikangas; the parts built in the 1940s were designed by Ekelund alone. In the narrow slab blocks and small point-block houses, even small dwellings were well lighted.

telusta huolimatta talot muodostavat yhdessä säilyneen luonnon ja istutusten kanssa tasapainoisia pihatiloja. Asuntoalueen mittakaava on vieläkin ihanteellinen. Talojen arkkitehtuuri on eleetöntä pohjoismaista "kubismia", joka perustuu vain valoisiin pintoihin ja tasasuhtaiseen, mutta akseleista ja symmetriasta vapaaseen aukotukseen.

131. Ensimmäiset lähiöt rakennettiin Helsinkiin vuoden 1946 alueliitoksen jälkeen. Hilding Ekelundin Helsingin kaupungille suunnittelemassa Maunulaan v. 1951–1956 rakennetussa asuntoalueessa eri talotyypit porrastuvat maaston mukaan ja muodostavat ehjän kaupunkinäkymän sekä väljiä katu- ja pihatiloja.

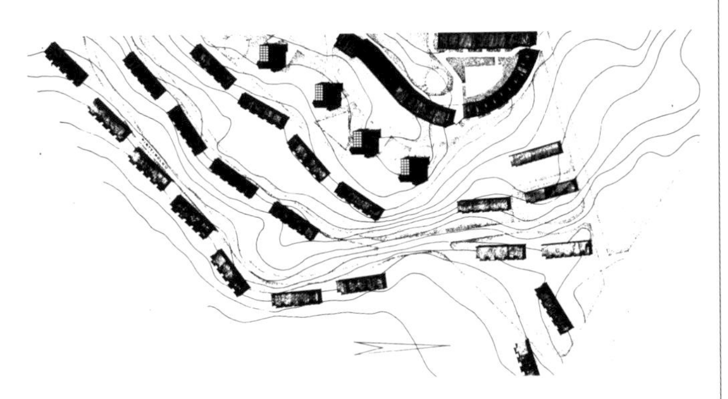

Asemapiirustus 1:6000. Esimerkki maaston muotoihin ja maisemaan mukautuvasta 1950-luvun alun suunnittelusta.

132–133. Helsingin Käpylään v. 1951 valmistunut "Käärmetalo" on Yrjö Lindegrenin merkittävimpiä suunnitelmia. Tehtävänä oli 190 kaupungin vuokra-asunnon sijoittaminen kapealle, noin 300 metriä pitkälle tontille. Ratkaisussa on vältetty kasarmimaisuus: viuhkamaisia lamelleja yhdistämällä on syntynyt vaihtelevia suojattuja pihatiloja. Jokaisella asunnolla on yksilöllinen asemansa ja näkymänsä kokonaisuuden osana.

121, 134–137. Espoossa Tapiolan puutarhakaupungin vanhimmissa 1950-luvun alussa rakennetuissa osissa toteutui suomalaiseen luontoon liittyvän asuntoalueen ihanne. Eri arkkitehtien kehittämät asuntosikermät liittyvät pienimuotoiseen maisemaan, sen metsäkumpareisiin ja niittyihin.

121. Tapiolan Silkkiniitty, yhteinen virkistysalue. Taustalla Aulis Blomstedtin ketju- ja kerrostaloja.

134, 135. Aulis Blomstedt: ketjutaloja ja kerrostaloja vuosilta 1953–1954. Pohjaratkaisuista näkyy Blomstedtin pyrkimys matemaattiseen selkeyteen, samalla mittakaava on intiimi.

136. Viljo Revellin suunnittelemia, pääasiassa elementeistä rakennettuja kerrostaloja (Mäntyviita ja Sufika) vuosilta 1954–1955.

137. Kaija ja Heikki Sirenin rivitaloja.
a, b. Kontiontien talot, vuodelta 1955, joissa on puiset ulkoseinäelementit. c. Vuonna 1959 valmistunut Asunto Oy Otsonpesä.

138. Pihlajamäki Helsingissä oli 1960-luvun suurimittaisen aluerakentamisen kenraaliharjoitus. Lauri Silvennoisen kilpailuehdotuksen perusteella rakennetusta alueesta tuli todella avara ja kaupunkisiluetiltaan hallittu kokonaisuus. "Jännittäkäämme rakennukset kallionrinteille ja antakaamme nosturinratojen ryömiä rakennusten betonilaattoja myöten luontoon koskematta", kirjoitti arkkitehti talojen valmistumisen aikoihin v. 1964.

Jatkuu s. 148

Despite the free placing, the houses constitute well-balanced entities together with the open areas left in a natural state. The scale of the area is still ideal. The architecture is subdued Nordic 'cubism', based on light surfaces and balanced placing of openings, but free from axes and symmetry.

131. The first 'neighbourhood units' in the suburbs of Helsinki were built after 1946. In the part of the Maunula residential area designed by Hilding Ekelund for the city of Helsinki and built in 1951–1956, the various house types fit in with the terrain, forming a coherent cityscape with spacious streets and courtyards.

Site plan 1:6000. An example of the planning ideals of the early '50s: the houses fit into the landscape and the terrain. (See the Finnish column.)

132–133. The 'Snake house' in Käpylä, Helsinki, completed in 1951, is one of the most significant designs of Yrjö Lindegren. The commission was to place 190 municipal apartment blocks on a narrow plot some 300 metres long. The solution cleverly avoids the atmosphere of a barracks: the combinations of fan-like lamellae form diverse sheltered yard spaces. Each apartment has its own individual location and aspect as a part of the whole.

121, 134–137. The ideal of a residential area linked with Finnish nature was realized in the oldest parts of Tapiola Garden City in Espoo, built in the 1950s. The dwelling clusters designed by different architects blend with the landscape, its hillocks and meadows.

121. Silkkiniitty, a common recreational area. In the background chain houses and apartment blocks by Aulis Blomstedt.

134, 135. Aulis Blomstedt: chain houses and apartment blocks from 1953–1954. The floor plans show how Blomstedt aimed at mathematical clarity: at the same time, the scale is intimate.

136. Apartment blocks designed by Viljo Revell (Mäntyviita and Sufika) from 1954–1955, built primarily of prefabricated units.

137. Row houses by Kaija and Heikki Siren.
a, b. The Kontiontie row houses, built in 1955, with prefabricated wooden elevation units. c. Otsonpesä, built in 1959.

138. Pihlajamäki in Helsinki was the dress rehearsal for large scale area construction in the 1960s. The area, built to a competition-winning design by Lauri Silvennoinen, developed into a spacious and controlled whole. 'Let us span the buildings on the rocky slopes and let the tracks of the cranes creep along concrete foundation blocks without touching the surrounding nature', the architect wrote at the time the buildings were completed in 1964.

139. The grid plan tradition of old Finnish towns was resuscitated in the attempts to produce an urban setting in the suburban design of the 1960s. The first projects managed to keep their scale in balance.
139a. The Turku student village, competition in 1967, 1st stage 1969–, architects Jan Söderlund and Erkki Valovirta.
139b. The row houses of Kortepohja in Jyväskylä, built in 1968–1969, based on a competition entry by Bengt Lundsten in 1964, were inspired by the alleys and yards of the Finnish wooden town. The design also has sociological motivations.

Continues on page 148

124ab
Käpylän puutarhakaupunki, Helsinki.
Martti Välikangas.

Käpylä Garden Suburb, Helsinki.
Martti Välikangas

125ab
Työväen asuntokortteli. Vallila, Helsinki.
Armas Lindgren.

Block of flats for workers. Vallila, Helsinki.
Armas Lindgren

126–127
Terassitalo, Kauttua.
Alvar Aalto.

'Stairless apartment
house' in Kauttua.
Alvar Aalto.

128ab
Sunilan kerrostaloja.
Alvar Aalto.

Blocks of flats
in Sunila.
Alvar Aalto.

a

b

c

129a
Työväen asuntoja, Inkeroinen. Alvar Aalto.
Workers' housing in Inkeroinen.
Alvar Aalto.

129b
Omakotitaloja, Kauttua.
Single-family houses in Kauttua.

129c
Asuntoalue. Pansio, Turku. Erik Bryggman.
Workers' housing in Pansio, Turku.
Erik Bryggman.

130
Vanha Olympiakylä, Helsinki.
Hilding Ekelund.

The old Olympic Village in Helsinki.
Hilding Ekelund.

131abcd
Maunulan asuntoaluetta, Helsinki. Hilding Ekelund.

Part of the Maunula residential area in Helsinki.
Hilding Ekelund.

132–133 Asuinrakennus "Käärmetalo", Helsinki. Yrjö Lindegren. The 'Snake House' in Käpylä, Helsinki. Yrjö Lindegren.

134, 135ab
Ketjutalo- ja kerrostaloryhmä. Tapiola, Espoo. Aulis Blomstedt.

Group of chain houses and apartment blocks in Tapiola, Espoo. Aulis Blomstedt.

a

b

c

137abc
Rivitaloja. Tapiola, Espoo. Kaija ja Heikki Siren.
Row houses in Tapiola, Espoo. Kaija and Heikki Siren.

136
Kerrostalo. Tapiola, Espoo. Viljo Revell.
Apartment blocks in Tapiola, Espoo. Viljo Revell.

138
Kerrostaloalue. Pihlajamäki, Helsinki.
Lauri Silvennoinen.

Residential area with blocks of flats in Pihlajamäki, Helsinki. Lauri Silvennoinen.

139a
Turun ylioppilaskylä. Jan Söderlund, Erkki Valovirta.

The Turku student village. Jan Söderlund, Erkki Valovirta.

a

39b
ortepohjan rivitaloaluetta, Jyväskylä. Bengt Lundsten.

Row houses in Kortepohja, Jyväskylä. Bengt Lundsten.

140–141
Suvikummun kerrostalosikermä. Tapiola, Espoo. Reima ja Raili Pietilä.

The Suvikumpu dwelling group in Tapiola, Espoo. Reima and Raili Pietilä.

a

b

142a Paritaloryhmä. Westend, Espoo. Erkki Kairamo. Group of two-family houses in Westend, Espoo. Erkki Kairamo
142b Pienkerrostaloryhmä. Tapaninkylä, Helsinki. Tuomo Siitonen. Group of small apartment houses in Tapaninkylä, Helsinki. Tuomo Siitonen.

3a
suntosikermä
mfi". Kivenlahti,
poo. Simo Järvi-
n, Heikki
oskelo.

ne 'Amfi' house
oup in Kivenlahti,
poo. Simo Järvi-
n, Heikki Kos-
lo.

3b
enkerrostaloja.
risto, Vantaa.
imo Vormala.

nall apartment
ocks in Varisto,
ntaa.
imo Vormala.

a

a

b

45 Katajanokan kärki, Helsinki.
45a Kerrostalo. Kristian Gullichsen. Apartment block, Kristian Gullichsen.

145b Merisotilaantori. Asuinrakennus taustalla: Juha Leiviskä.
Merisotilaantori. The apartment house in the background by Juha Leiviskä.

146
Kerrostalo. Näkinpuisto, Helsinki. Timo Vormala.
Block of flats of Näkinpuisto, Helsinki. Timo Vormala.

147
Kerrostalo. Länsi-Pasila, Helsinki. Jan Söderlund.
Apartment block in Länsi-Pasila, Helsinki. Jan Söderlund.

139. Vanhojen kaupunkiemme ruutuasemakaavan perinne löydettiin uudestaan, kun asuntoalueiden suunnittelussa 1960-luvulla pyrittiin jälleen kaupunkimaiseen ympäristöön. Ensimmäisissä kohteissa onnistuttiin toteuttamaan tasapainoinen mittakaava.

139a. Turun ylioppilaskylä, kilpailu v. 1967, 1. vaihe 1969–, arkkitehdit Jan Söderlund ja Erkki Valovirta.

139b. Bengt Lundstenin vuoden 1964 kilpailuehdotuksen pohjalta 1968–1969 toteutetuissa Jyväskylän Kortepohjan alueen rivitalokortteleissa ovat innoituksen lähteinä olleet suomalaisen puukaupungin kujat ja pihat. Ratkaisu perustuu myös sosiologisiin näkemyksiin.

Kortteliryhmä, asemapiirustus 1:4500. (Ks. viereinen palsta).

140, 141. Reima ja Raili Pietilän Tapiolaan vuodesta 1962 suunnittelemassa Suvikummun asuintaloryhmässä kaksikerroksisista rivitaloyksiköistä 8-kerroksisiin kerrostalolamelleihin porrastuvat rakennussikermät kehystävät säilytettyä koivikkoa ja avaraa suojattua pihaa. Kun pääosa rakennuksista valmistui v. 1969, ne osoittivat yksilöllisen elävän asuntosuunnittelun mahdollisuudet kaikkein ankeimpien asuntoalueiden rakentamisen keskellä.

142–143. Tiivis ja matala rakentaminen on 1970-luvun jälkipuolelta lähtien ollut asuntoalueiden suunnittelun ihanteena Suomessakin.

142a. Paritaloryhmä Espoon Westendissä vuodelta 1982, pääsuunnittelijana Erkki Kairamo.

142b. Pekka Helinin ja Tuomo Siitosen suunnittelema pienkerrostaloryhmä Helsingin Tapaninkylässä vuodelta 1983.

143a. Espoon Kivenlahteen rakennettavan "Amfi"-asuntoryhmän ensimmäiset vaiheet valmistuivat v. 1982, eri osien suunnittelijoina Heikki Koskelo ja Simo Järvinen.

143b. Valtion lainoittamat pienkerrostalot Vantaan Varistoon valmistuivat 1980, pääsuunnittelijana Timo Vormala.

144–147. Kerrostalorakentamisessa on 1970-luvulta lähtien pyritty perinteistä kaupunkirakennetta muistuttavaan mittakaavaan ja kokoavaan tilanmuodostukseen.

144, 145. Katajanokan Kärjen aluettta Helsingissä on rakennettu v. 1972 ratkaistuun kilpailuun perustuvan ja v. 1976 valmistuneen kaupunkisuunnitelman pohjalta (arkkitehdit Helander, Pakkala, Sundman). Uusi kaupunkirakenne ympäröi vanhoja rakennuksia. Puolisuljetulla rakennustavalla on pyritty selkeisiin julkisiin ulkotiloihin, katuihin, toreihin ja puistoihin, ja samalla suojattuihin korttelipihoihin. Asuinrakennukset ovat eri arkkitehtien suunnittelemia, näin on tähdätty vaihteluun.

144, 145a. Kristian Gullichsenin suunnittelema kerrostalo, joka valmistui v. 1981, liittyy vuosisadan alun kerrostaloon, "Lutikkalinnaan".

145b. Merisotilaantori. Asuintalo taustalla vuodelta 1984, arkkitehtinä Juha Leiviskä.

146. Näkinpuiston, entisten tehtaiden paikalle rakennettavan asuntoalueen aloituskortteli Helsingissä rakennettiin v. 1980–1984. Arkkitehteinä olivat Timo Vormala ja Jaakko Sutela.

147. Helsingin Länsi-Pasilan koerakentamiskilpailun (1979) voittaneeseen ehdotukseen perustuva kerrostalo valmistuu v. 1987. Sen on suunnitellut Jan Söderlund.

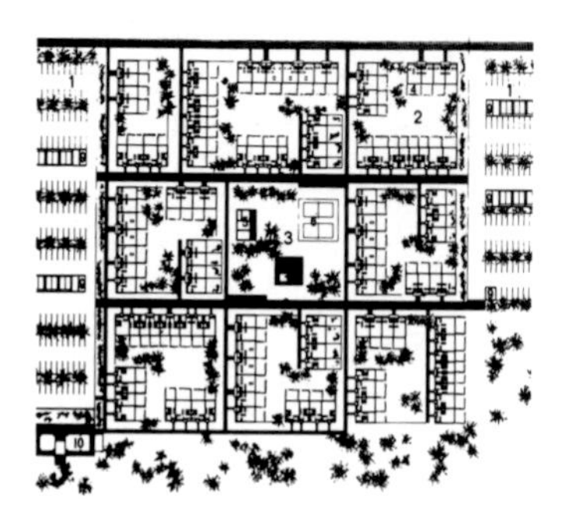

A group of blocks in Kortepohja, Jyväskylä, site plan 1:4500.

140, 141. In the Suvikumpu dwelling group in Tapiola, designed by Reima and Raili Pietilä since 1962, the building clusters ranging from two-storey row houses to eight-storey apartment blocks frame a birch grove and a spacious open area. When the main body of the buildings was completed in 1969, it demonstrated the potential of individual, vital housing design in the midst of the bleakest suburban construction then under way.

142–143. Compact, low building has been the ideal in residential design since the late 1970s in Finland as elsewhere.

142a. Two-family house group in Westend in Espoo from 1982, main designer Erkki Kairamo.

142b. Group of small apartment houses in Tapaninkylä, Helsinki (1983), designed by Pekka Helin and Tuomo Siitonen.

143a. The first stages of the 'Amfi' house group in Kivenlahti in Espoo were completed in 1982, designed by Heikki Koskelo and Simo Järvinen.

143b. State-financed small apartment blocks in Varisto, Vantaa, completed in 1980, main designer Timo Vormala.

144–147. Apartment block construction since the 1970s has aimed at an organization of scale and of unifying space that echoes traditional city structures.

144, 145. The area at the tip of Katajanokka in Helsinki has been built to a town plan based on a competition held in 1972 and executed in 1976 (architects Helander, Pakkala, Sundman). The new city structure surrounds the old buildings. The aim of the semi-closed block structure is to create clearcut public outdoor spaces, streets, squares and parks, but also protected courtyards. The buildings were designed by a number of architects, producing variety.

144, 145a. An apartment block designed by Kristian Gullichsen and completed in 1981, adjoining the turn-of-the-century block known as 'Bedbug castle'.

145b. Merisotilaantori. The residential building in the background dates from 1984, designed by Juha Leiviskä.

146. The first block at Näkinpuisto, Helsinki, a residential area being built on the site of former factories, was built in 1980–1984. The architects were Timo Vormala and Jaakko Sutela.

147. The apartment block based on the entry which won the experimental building competition for Länsi-Pasila in Helsinki (1979) will be completed in 1987. It was designed by Jan Söderlund.

149 Hvitträsk, Kirkkonummi.
Gesellius, Lindgren, Saarinen.

10

Huvila arkkitehtonisena pienoismaailmana

149. Geselliuksen, Lindgrenin ja Saarisen Hvitträsk kasvaa kallioista ja ympäröivästä luonnosta, jota vastaan rakennus, sen jykevät seinät ja laajat katot, samalla antavat suojaa. Sisätilat avautuvat sen sijaan välittömästi pergolan suojaamaan hoidettuun puutarhaan. Saarisen talo (ks. myös sisäkuva 38). Osa rakennusryhmästä paloi 1920-luvulla, ja Hvitträsk odottaa vielä huolellista restaurointia.

152–153. Neljältä sivulta suojattu puutarha on Oivalan, arkkitehti Oiva Kallion Villingin saareen rakennuttaman kesäkodin tilallinen ydin. Alunperin v. 1924 rakennettu puutalo on ilmeikkäin esimerkki 1920-luvun klassismin pyrkimyksestä sirouteen ja herkkään mittakaavaan.

Rakennustaiteellisen selkäpuolen kääntäminen maailmalle ja sisäpuolisen suojatun tilakokonaisuuden luominen on varsinkin asuintalojen sommitteluperiaatteena ajaton. Tietoisesti klassismin kaudella viitattiin sekä pohjalaiseen talonpoikaiseen umpikartanoon että antiikin roomalaiseen pihataloon.

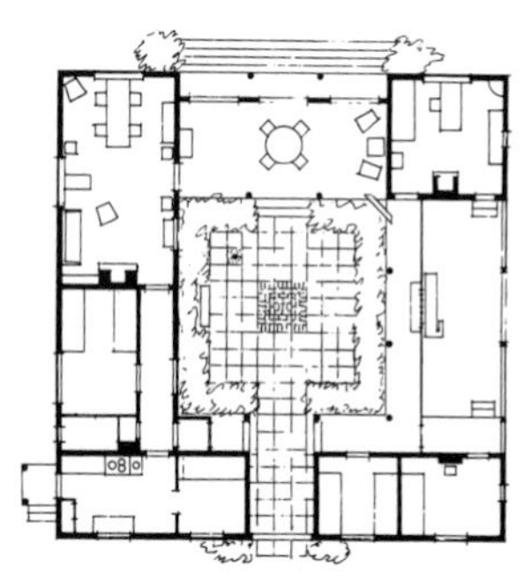

Pohjapiirustus 1:400.

154, 155. Skogsbölen talo kohoaa Kemiön saarella vuonomaisen lahden rannalla. Rakennussiivet suojaavat kahdelta puolelta ylätasanteella olevaa pihaa, josta avautuu näkymiä maisemaan. Erik Bryggman suunnitteli vanhan maalaistalon muutoksen v. 1924. Sisätiloissa syntyy jännite näkymien ja kulkusuuntien välille.

156, 157. Funktionalismin valoisuuden ja ilmavuuden ihanne toteutui varsinkin Erik Bryggmanin huviloissa, jotka herättivät myös kansainvälistä kiinnostusta. Villa Waren rakennettiin Ruissaloon 1932–1933. Pienen rapatun puutalon huoneet kehystävät ylätasanteelle sijoitettua pihaa, jonne näkyy väläys Airiston selkää. Julkisivupinnat ovat yksinkertaisen koristeettomia, mutta huoneiden ryhmittelystä ja näkymistä syntyy monivivahteinen tilakokonaisuus.

Rantasauna (arkkitehti Veijo Kahra 1957) ja sen pienoispatio täydentävät osuvasti välimerenhenkistä kokonaisuutta.

158–160. Villa Mairea Noormarkussa on Alvar Aallon avainteoksia ja yksi tämän vuosisadan kuuluisimmista huviloista. Se suunniteltiin ja rakennettiin vuosina 1937–1939 Aallon ystävien ja tukijoiden Maire ja Harry Gullichsenin kodiksi. Rakennuksen eri suunnista alati muuntuva ryhmitys syntyy sekä suljetuista suojaavista tilayksiköistä että toisiinsa ja ulkotiloihin liittyvistä ja avautuvista halli- ja oleskelutiloista. Ylinnä on puusäleiköllä verhottu ateljee (159a). Sisäänkäynti (159b) johtaa puiden välistä eteishalliin. Pihaa kehystävät sekä valkoiset, rapatut pinnat että luonnonkivimuurit (160b), ja samanaikaisesti primitiiviset ja hienostuneesti muotoillut puurakenteet varsinkin pihan päätteenä olevassa saunassa (160a).

The villa as an architectural world in miniature

149. Hvitträsk, by Gesellius, Lindgren, Saarinen, grows out of the rock and the natural surroundings, from which the building's massive walls and broad roofs also provide shelter. The interiors, on the other hand, open onto a cultivated garden sheltered by a pergola. Saarinen's house (for an interior view, see 38).

152, 153. Oivala, architect Oiva Kallio's summer home in Villinki in the Helsinki archipelago, is built around an enclosed garden. The wooden house, originally built in 1924, is an expressive example of the aim of '20s Classicism: delicacy and sensitivity of scale.

Turning an architectural back on the outside world, as it were, and creating a sheltered interior is a timeless preoccupation especially in the design of dwellings. In the Classical period the conscious references were to the Ostrobothnian enclosed farm complex and the ancient Roman atrium.

Floor plan 1:400. (See the Finnish column).

154, 155. The Skogsböle house is situated on the island of Kemiö in a fjord-like bay. The wings shield two sides of the yard on the upper level, which also gives a view of the landscape. Erik Bryggman designed this alteration to an old country house in 1924. The interiors create tension between the views and the paths of movement.

156, 157. The Functionalist ideal of lightness and airiness was realized exceptionally well in Erik Bryggman's villas, which also attracted international interest. Villa Waren in Ruissalo, Turku, (1932–33) re-interprets the function of this famous villa area. The rooms of the small plastered wooden house frame an elevated yard from which one can see Airiston selkä, the first open expanse of the Baltic out of Turku. The elevations are devoid of decoration, but the groupings and views contribute to a varied spatial whole.

The waterside sauna (Veijo Kahra, 1957) and its miniature patio supplement the consciously Mediterranean concept.

158–160. Villa Mairea in Noormarkku is a key Aalto work and one of the most famous villas of this century. It was designed and built in 1937–39 as the home of two of Aalto's friends and supporters, Maire and Harry Gullichsen. The building complex, which looks different from every angle, is created out of both more enclosed and protective areas, and spaces connected with each other and the outside. Above, there is a studio clad with wooden louvre board (159a). The entrance (159b) leads through trees to the hall, which, like the rest of the villa's interiors, flows on into the surrounding lounges. The yard area is framed by white, plastered and untreated stone surfaces (160b), and simultaneously primitive yet sophisticated wooden constructions, especially in the sauna at the end of the garden (160a).

Villa Mairea is an important example of the change and enrichment going on in architecture in the late '30s. In this project, Aalto had a chance to develop his autonomous idiom and to experiment on a chamber music scale, as it were, with themes and solutions later to grow to symphonic proportions in his public commissions.

According to Aulis Blomstedt, Villa Mairea personifies a new view of the world and of life, in which nature, man and art are all in harmony.

The building is relaxed and new, and yet there is some-

Villa Mairea on hyvä esimerkki arkkitehtuurin muuntumisesta ja rikastumisesta 1930-luvun lopulla. Aallolla oli rakennusta suunnitellessaan tilaisuus kehittää autonomista muotokieltään ja kokeilla ikäänkuin kamarimusiikin mittakaavassa teemoja ja ratkaisuja, jotka sitten kasvoivat suuriin sinfonisiin mittoihin myöhemmissä julkisissa tehtävissä.

Uusi maailmankuva ja elämänkäsitys, jossa luonto, ihminen ja taide ovat keskinäisessä sopusoinnussa ovat Aulis Blomstedtin mukaan saaneet ilmauksensa Villa Maireassa.

Rakennus on vapautuneesti uusi, mutta siinä on silti jotain tuttua: pihapiiri ja yksilölliset rakennusosat sen ympärillä. Gustaf Strengell oli jo verrannut Aallon omaa, Helsingin Munkkiniemeen v. 1936 valmistunutta taloa "oman aikamme Niemelän torppaan".

Alemman kerroksen pohjapiirustus 1:600. (Ks. viereinen palsta).

161. Oulujoen törmälle Nuojualle 1947–1948 rakennettu voimalaitosinsinöörin asunto on esimerkki siitä, miten Aarne Ervin pientaloissa sisä- ja ulkotilat erottamattomasti liittyvät toisiinsa: talo ja puutarha muodostavat ympäristötaideteoksen perinteisen japanilaisen asuntokulttuurin tapaan.

162, 163. Erik Bryggmanin Kuusistoon 1948–1949 suunnittelema Huvila Nuuttila on kasvanut kiinni vanhoihin tammiin ja siirtolohkareisiin. Talo on porrastettu: olohuone on ylinnä, halli välitasossa ja makuuhuonekäytävä alinna. Rapattu puutalo ja sen kevyet ulkonevat räystäät liittyvät samaan pohjoismaiseen suuntaukseen, joka näkyy myös Ekelundin taloista (kuva 130): nuoruuden innostus Italian 'architettura minoreen' tulee uudestaan vahvasti esiin.

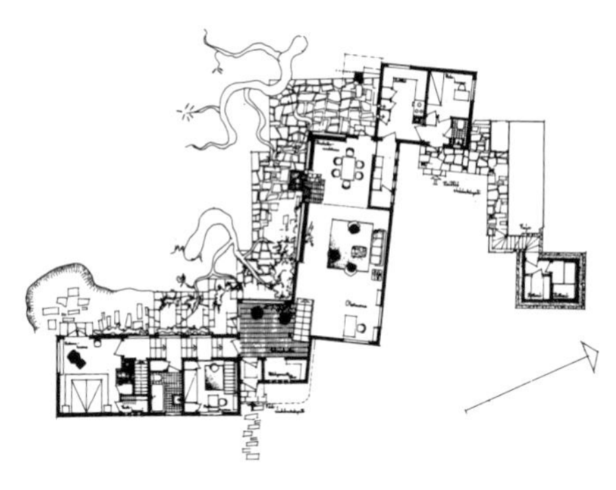

Pohjapiirustus 1:600

164, 165. Mikkelin maalaiskuntaan arkkitehti Kari Järvisen suunnitelman mukaan v. 1980 rakennettu Talo Siiskonen jakautuu rakennusryhmäksi, jossa toisiinsa nähden vapaasti sijaitsevat puutalot ja kuistit perinteisen maalaistalon tapaan kehystävät suojattua oleskelupihaa. Sisätiloihin on tasoerojen avulla luotu yksilöllisiä paikkoja, joista yhteistilojen kautta avautuu näkymiä savolaiseen maisemaan.

Pohjapiirustus 1:600. (Ks. viereinen palsta).

166. Hirsisaunoissa jatkuu lamasalvosrakentamisen perinne. Vilpolan sananmukaisesti kosketeltavia puisia yksityiskohtia Aarne Ervin 1940-luvulla suunnitteleman Pyhäkosken vierasmajan rantasaunassa (vrt. kuvat 68, asemapiirustus s. 63).

thing familiar about it: it is a yard complex with individual buildings round it. Gustaf Strengell had already described Aalto's own house, built in Munkkiniemi in Helsinki (1936), as "a Niemelä croft, a traditional farmhouse for our time".

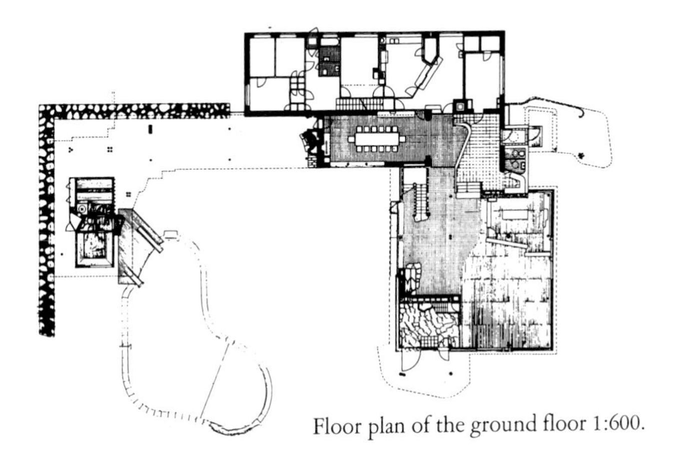

Floor plan of the ground floor 1:600.

161. The house of the power station engineer at Nuojua on the bank of the Oulujoki river (built in 1947–48) is an example of how interior and exterior spaces combine inseparably in Aarne Ervi's small houses: house and garden form an environmental sculpture after the fashion of Japanese traditional building.

162, 163. Villa Nuuttila designed by Erik Bryggman in Kuusisto in 1948–49, has taken root in its location surrounded by ancient oak trees and glacial boulders. The house is terraced: the living room is uppermost, the hall in the middle and the bedroom corridor at the bottom. The plastered wood house, with its slightly protruding eaves, reflects the Nordic trend already visible in the houses of Ekelund's old Olympic Village (130): a youthful enthusiasm for the Italian 'architettura minore' reemerges with vigour.

Floor plan 1:600. (See the Finnish column).

164, 165. Talo Siiskonen, a farmhouse built in Mikkeli rural district according to architect Kari Järvinen's plan in 1980, is divided into freely grouped wooden houses and porches that surround a sheltered yard in the manner of traditional farmhouses. The split levels in the interiors create intimate places that have a view of the Savo landscape via the common areas.

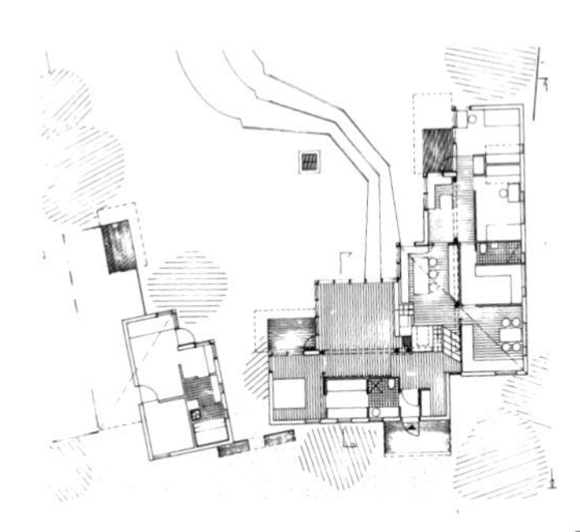

Floor plan 1:600

166. The ancient technique of log construction lives on in log saunas. Literally tangible details on the veranda of the lakeside sauna of the Pyhäkoski guest house (pictures 68, site plan on p. 63), designed by Ervi in the '40s.

152–153 ▷ Villa Oivala, Helsinki. Oiva Kallio.

154, 155ab
Skogsbölen talo, Kemiö. Erik Bryggman. The Skogsböle house, Kemiö. Erik Bryggman

156ab, 157a
Villa Waren. Ruissalo, Turku.
Erik Bryggman.

157b
Villa Warenin sauna.
The Sauna.

a

b

b

158, 159ab
Villa Mairea, Noormarkku. Alvar Aalto.

a

b

160ab
Villa Mairea, Noormarkku.
Alvar Aalto.

161
Oulujoki Oy:n insinöörin asunto, Nuojua. Aarne Ervi.

The house of the power station engineer at Nuojua. Aarne Ervi.

162, 163ab
Villa Nuuttila, Kuusisto. Erik Bryggman.

164 ▷, 165ab ▷▷
Talo Siiskonen, Mikkelin maalaiskunta.
Kari Järvinen.

The Siiskonen house, Mikkeli rural district.
Kari Järvinen.

166
Pyhäkosken voimalaitoksen vierasmajan sauna. Aarne Ervi.
The lakeside sauna of the Pyhäkoski guest house. Aarne Ervi.

11

Liiketalojen eleganssia

168. Entinen Wuorion liikepalatsi Unioninkadulla on ehkä hienostunein vuosisadan alun monista helsinkiläisistä liiketaloista. Kolmen v. 1908 rakennetun alimman kerroksen selkeä pilarirakenne ja suuret prismamaiset metalli- ja lasi-ikkunat ovat arkkitehti Herman Geselliuksen tulkinta suositusta mannermaisesta liiketalotyypistä. (Korotus: Armas Lindgren v. 1913).

169. Stockmannin tavaratalo on Helsingin liikekeskustan tunnetuin rakennus ja yksi koko Euroopan selkeimmistä liiketaloista. Rakennus toteutettiin pääosin vasta 1929–1930, mutta se perustuu arkkitehti Sigurd Frosteruksen jo v. 1916 tekemään kilpailuehdotukseen. Jyhkeän, pystyrakenteita korostavan tiilijulkisivun ja jännitetyn kokonaishahmon vastapainona on sisätiloja kokoava valoisa lasikattoinen halli.

170. Kotkan v. 1934–1935 rakennettu entinen säästöpankki on säilynyt esimerkki arkkitehti P. E. Blomstedtin jäntevistä funktionalismin kauden tilasommitelmista: pienelläkin tontilla tilat on ratkaistu ilmavasti toisiinsa lomittuvia tasoja hyväksi käyttäen. Niukat mutta hiotut yksityiskohdat ovat menettäneet ilmettään uusien lamppujen ja pintakäsittelyjen vuoksi.

171. Alvar Aallon Rautatalo (1951–1954) vastapäätä Stockmannia on hienoimpia esimerkkejä uuden rakennuksen liittämisestä vanhaan ympäristöön. Kupari-, pronssi-ja lasijulkisivu oli pääkaupungin ensimmäisiä verhojulkisivuja. Rytminsä ja punnittujen suhteittensa ansiosta se liittyy ympäristöön ja viereiseen Eliel Saarisen piirtämään pankkitaloon (1920–1921). Rakennuksen sisälle Aalto on luonut kaupunkielämän keitaan, ylävalaistun marmorihallin kahviloineen.

172. Postipankin Hakaniemen konttori Helsingissä on esimerkki liiketalosta, joka hyvin täyttää paikkansa kaupunkirakenteessa. Alkuperäiset suunnitelmat ovat vuosilta 1955–1960. Talon arkkitehteinä olivat Antero Pernaja ja Nils-Henrik Sandell, joka suunnitteli myös v. 1973 korjatun julkisivun. Taustalla karski mutta ilmeikäs Hakaniemen tori, vasemmalla Arena-talo (Lars Sonck 1923) ja kauppahalli (Karl Hård af Segerstad 1912).

173. Itäkeskuksen kauppakeskus ja pankkitalo Helsingissä, pääsuunnittelijana Erkki Kairamo, valmistui vuonna 1984 uuden aluekeskuksen metroasemaan liittyvän torin varrelle. Esikaupunkeihin vähittäiskaupan keskittymisen mukana rakennettujen lukuisten kauppakeskusten ja alennushallien joukossa Kairamon Itäkeskukseen suunnittelemat rakennukset ovat harvinaisia esimerkkejä yksityiskohtia ja tärkeimpiä sisätiloja myöten hallitusti toteutetuista liiketiloista.

174–175. Valio Meijerien Keskusosuusliike on 1960- ja 1970-luvuilla rakennuttanut Matti K. Mäkisen johdolla suunniteltuja tuotantolaitoksia, joissa on yhdistetty rakenteellinen selkeys ja uuden tekniikan hyväksikäyttö arkkitehtonisissa ratkaisuissa sekä pyrkimys hyvään työympäristöön. Kehityksen huipentumana on Mäkisen ja Kaarina Löfströmin suunnittelema Valion pääkonttori Helsingin Pitäjänmäessä (1972–1978).

The elegance of business buildings

168. Of the many turn-of-the-century office buildings in Helsinki, the former Wuorio business building on Unioninkatu is perhaps the most polished in its detail. The clear-cut pillar structure of the three lowest storeys (built in 1908) and the large prism-like metal and glass windows are architect Herman Gesellius' interpretation of popular Continental type of office building. (Upper storeys: Armas Lindgren, 1913).

159. Stockmann's department store is the best known building in the business centre of Helsinki, and one of the most rational of its kind in Europe. It was not completed until 1929–30, though it is based on architect Sigurd Frosterus' entry in the 1916 competition. The massive, vertical brick facade and taut profile are balanced by a large central well lit by a skylight.

170. The former Säästöpankki (Savings Bank) in Kotka (1934–35) has been preserved as an example of the dynamic Functionalist designs of P.E. Blomstedt: despite the small plot, space is achieved using airy interconnected planes. (The lamps and some other details have been altered).

171. Rautatalo ('Iron House') by Alvar Aalto (1951–54), opposite Stockmann's, is still a prime example of the integration of a new building into an old setting. The elevation of copper, bronze and glass is one of the first curtain walls in Helsinki. In its rhythm and balanced proportion it complements the neighbouring bank, designed by Eliel Saarinen (1920–21). Inside, Aalto has created an oasis of urban life, a marble hall with a café, lit from above, with access by a staircase directly from the street.

172. The branch of Postipankki in Hakaniemi, Helsinki, is an example of a business building that fits in well with the cityscape. The original plans were by Antero Pernaja and Nils-Henrik Sandell (1955–60). Sandell designed a new solid facade relief in 1973. In the background, the rugged but expressive Hakaniemi market square. From the left, the Arena building (Lars Sonck, 1923) and the indoor market (Karl Hård af Segerstad, 1912).

173. The shopping centre and bank in the suburban centre of Itäkeskus, Helsinki, chief designer Erkki Kairamo (with Heikki Mäkinen and Keijo Koskinen), was built in 1981–84 on the square leading to the metro station. Given the vast number of shopping centres and supermarkets built because of the concentration of retail trade in the suburbs, Kairamo's buildings in Itäkeskus are rare examples of projects carefully worked out down to minor details.

174–175. Valio (the central dairy cooperative) commissioned a large number of production facilities designed under the supervision of Matti K. Mäkinen in the 1960s and '70s; these buildings combine structural clarity with new technology so as to create an agreeable working environment. The culmination of this development is the main office of Valio in Pitäjänmäki, Helsinki (1972–78), designed by Matti K. Mäkinen and Kaarina Löfström; this is an office and working environment designed as a whole down to the interiors and details.

NORDISKA
INVESTERINGSBANKEN
AGORA TEAROOM
AGORA
POHJOISMAIDEN
INVESTOINTIPANKKI

168
Liiketalo, Helsinki. Herman Gesellius, Armas Lindgren.
A business building in, Helsinki. Herman Gesellius, Armas Lindgren.

169
Stockmannin tavaratalo, Helsinki. Sigurd Frosterus.
Stockmann's department store, Helsinki. Sigurd Frosterus.

170ab
Kotkan entinen säästöpankki.
P.E. Blomstedt.

The former Säästöpankki ("Savings Bank")
in Kotka. P.E. Blomstedt.

171ab
Rautatalo, liikerakennus Keskuskadulla, Helsingissä.
Alvar Aalto.

Rautatalo ('Iron House') on Keskuskatu, Helsinki.
Alvar Aalto.

172 Postipankin liiketalo Hakaniemessä Helsingissä. Antero Pernaja, Nils-Henrik Sandell.
The branch of Postipankki in Hakaniemi, Helsinki. Antero Pernaja, Nils-Henrik Sandell.

173ab
Itäkeskuksen kauppakeskus ja pankkitalo, Helsinki. Erkki Kairamo.

The shopping centre and bank in Itäkeskus, Helsinki. Erkki Kairamo.

174–175 ▷
Valion pääkonttori. Pitäjänmäki, Helsinki. Matti K. Mäkinen ja Kaarina Löfström.

The main office of Valio, Pitäjänmäki, Helsinki. Matti K. Mäkinen, Kaarina Löfström.

12

ALKO

◁ 176–177
Salmisaaren voimalaitokset ja Alkon keskusvarasto ja konttorirakennus, Helsinki.

The power plants and the Alko central warehouse and offices in Salmisaari, Helsinki.

178
Kirjapaino. Tapiola, Espoo. Aarno Ruusuvuori.

The printing works in Tapiola, Espoo. Aarno Ruusuvuori.

Teollisuuden arkkitehtuuri - kuva valveutuneesta rakennuttajasta

176-177. Hyvin säilynyt esimerkki 1930-luvun lujamuotoisista tiiliseinäisistä teollisuusrakennuksista on Helsingin Salmisaaressa oleva Alkon keskusvarasto ja konttorirakennus (kilpailu 1936, rakennettu -1940), jonka pääsuunnittelijana oli Väinö Vähäkallio. Sen viereen Hilding Ekelundin ym. suunnitelmien mukaan v. 1947-1952 rakennettu kaupungin höyryvoimalaitos jatkaa funktionalismin selkeitä linjoja; dynaamiset muodot ilmentävät tehtävää. Timo Penttilän ja Heikki Saarelan pääosin 1979-1983 suunnittelema Salmisaaren uusi voimalaitos (vasemmalla) täydentää suuresta koostaan huolimatta teollista rantamaisemaa ehjästi: valtavia kattiloita ympäröivä rakennus on jaoteltu tiili- ja metallipäällysteisiin kappaleisiin.

Viime vuosikymmeniltä on olemassa verraten harvoja esimerkkejä siitä, että teollisuus olisi rakentamisessaan pyrkinyt hallittuun kokonaisympäristöön. Teollisuusrakennuksissa on yleensä tarvittu suuria väljiä tiloja koneiden ympärille sekä joustavia muutos- ja laajennusmahdollisuuksia. Tämä on johtanut suuriin jänneväleihin. Rakenteista on luonnostaan tullut arkkitehtuurin tärkein ilmaisukeino - rakenteet eivät muuten yleensä ole kovin korostetusti esillä suomalaisessa arkkitehtuurissa.

178. Aarno Ruusuvuoren suunnittelemassa kirjapainossa Tapiolassa neliömäiset sivuiltaan 27-metriset kattokentät on ripustettu pyöreistä, myös ilmastointia palvelevista betonitorneista. Ensimmäiset neljä yksikköä toteutettiin 1963-1964.

180-181. Hanasaaren voimalaitos Helsingissä on toteutettu Timo Penttilän arkkitehtisuunnitelmien mukaan pääosin 1970-1974. Toimistot, portaat, huoltotilat ja kuljettimet on ryhmitelty vapaasti raskaiden konetilojen ympärille. Yhtenäiset materiaalit ja yksityiskohdat kokoavat teollisen prosessin vaatimat osat yhteen kaupunkikuvassa vaikuttavaksi rakennusryhmäksi.

182-184. Erkki Kairamon teollisuudelle suunnittelemat suuretkin rakennukset ovat saaneet ilmavan ilmeensä lennokkaiden suhteiden ja täsmällisten yksityiskohtien ja materiaalinkäytön ansiosta. Toissijaisten rakennusosien, portaiden ja teknisten laitteiden huolellinen suunnittelu on tärkeä osa rakennusten teollista estetiikkaa - samantapaisia ihanteita voi nähdä myös muussa 1970-luvun arkkitehtuurissa, vaikkapa Pariisin Pompidou-kulttuurikeskuksessa.

182. Marimekon tehdas valmistui Helsinkiin v. 1974 Erkki Kairamon ja Reijo Lahtisen suunnitelman pohjalta.
183. A. Ahlström Oy:n paperitehdas Varkauden keskustassa, joka rakennettiin 1975-1977.
184. Joutseno Pulp Oy:n Lohjan paperitehtaan laajennuksessa 1979-1980 tiilimateriaali liittää uudet osat vanhempiin rakennuksiin.

185. Valion Ouluun v. 1980-1982 rakennetuissa Maikkulan meijeri- ja tuotantolaitoksissa arkkitehtoninen ilme on - samoin kuin monissa aikaisemmissa Valion rakennuttamissa meijerilaitoksissa - saatu aikaan rakenteiden sekä tuotantoon liittyvien osien, kuten siilojen ja putkistojen, tietoisella muotoilulla. Työympäristö liittyy luontoon. Arkkitehtina Antti Katajamäki ja Valion rakennusjaosto.

Industrial architecture - the image of an enlightened client

176-177. The Alko (State alcohol monopoly) central warehouse and offices in Salmisaari, Helsinki (competition 1936, building completed in 1940), are a well-preserved example of the sturdy brick industrial buildings of the '30s. The chief designer was Väinö Vähäkallio. The steam power plant next door, designed by Hilding Ekelund et al. and built in 1947-52, still pursues the clear lines of Functionalism; the dynamic forms reflect the building's function. The new Salmisaari power plant, designed by Timo Penttilä and Heikki Saarela in 1979-83 (left), complements the industrial waterfront, despite its large size: the building enclosing the massive boilers is divided into brick and metal covered units.

Industrial buildings usually require plenty of space around the machines and capacity for modification and expansion. This leads to larger spans. The constructions have inevitably become the most important means of expression in this kind of architecture. (Otherwise, constructions do not as such figure very prominently in Finnish building.)

178. In this printing works in Tapiola, designed by Aarno Ruusuvuori, the square roof slabs, 27 metres long, are suspended from round concrete towers that also house the ventilation equipment. The first four units were built in 1963-64, and the building was later expanded (though not according to the overall plan in all cases).

180-181. Hanasaari power plant in Helsinki was built to plans by Timo Penttilä, primarily in 1970-74. The offices, stairways, maintenance facilities and conveyors are freely grouped around the heavy machinery halls. The uniform use of materials and details assemble the parts required by the process into a compact complex in the cityscape.

182-184. Even the large buildings designed by Erkki Kairamo for industrial purposes have taken on an airy character, thanks to the graceful proportions, precise use of detail and handling of materials. The careful design of secondary elements such as stairways and technical equipment is an important part of the industrial aesthetics of building; the same sort of technological ideals can be seen elsewhere in '70s architecture, as in the Pompidou Centre in Paris.

182. The Marimekko plant in Helsinki (1974), designed by Kairamo and Reijo Lahtinen.
183. The A. Ahlström Oy paper mill in the centre of Varkaus (1975-77).
184. In the expansion of the Joutseno Pulp Oy paper mill in Lohja (1979-80), the use of brick connects the new parts with the old.

185. As in many of its earlier dairy plants, the Maikkula dairy and production plant built by Valio central dairy cooperative in Oulu in 1980-82 has an appearance achieved through the constructions and the conscious design of process-linked elements such as silos and piping systems. The working environment blends with the natural setting. The plant was designed by Antti Katajamäki and the Valio construction department.

180–181 Hanasaaren voimalaitos, Helsinki. Timo Penttilä. Hanasaari power plant, Helsinki. Timo Penttilä.

182ab
Marimekon tehdas, Helsinki. Erkki Kairamo ja Reijo Lahtinen.

The Marimekko plant, Helsinki. Erkki Kairamo a Reijo Lahtinen.

183
Paperitehdas, Varkaus. Erkki Kairamo.

The A. Ahlström Oy paper mill in Varkaus. Erkki Kairamo.

184ab
Paperitehtaan laa
jennus, Lohja.
Erkki Kairamo.

The expansion o
the Joutseno
Pulp Oy paper
mill, Lohja. Erkk
Kairamo.

185
Valion meijeri ja
tuotantolaitok-
set, Oulu. Antti
Katajamäki.

The Maikkula
dairy and produc
tion plant, Oulu.
Antti Kataja-
mäki.

13

Sisätila ja luonnonvalo

187, 189. Erik Bryggmanin Paraisten siunauskappeli on muodoltaan ja materiaaleiltaan äärimmäisen yksinkertainen. Seinät ovat kalkkimaalattua rappausta, lattiat teräshierrettyä sementtiä, ja ainoat korosteet ovat marmoriportaali, kuparipäällysteiset ovet ja kolme Henningsen-lasilamppua. Rakennus valmistui 1930 klassismin kääntyessä funktionalismiin. Olennaisinta eivät ole rakennuksen tyylilliset uutuudet, vaan suhteiden harmonialla tavoitettu ajaton rauha: staattinen tila, jonka valo tekee eläväksi.

190, 191. Erik Bryggmanin päätyö, Turun Ylösnousemuskappeli valmistui kymmenen vuotta myöhemmin (kilpailu 1938, rakennettu 1939–1941). Sisätila on nyt moniselitteisempi, epäsymmetrinen ja kuitenkin levollisen tasapainoinen. Tila on kokoava, vaikka sen painopiste onkin ehkä ulkopuolella iäisyysmaisemassa – sinne siunaustilaisuuteen osallistuvat voivat kiinnittää ajatuksensa. Muutamat koristeelliset yksityiskohdat keventävät kokonaisuutta, johon ne kuitenkin alistuvat. Ulkopuolella muutaman yksinkertaisen rakennuskappaleen, salin, katoksen ja tornin ryhmittelyllä on saatu aikaan antiikin kreikkalaisen pyhäkön kaltaista monumentaalisuutta.

Turun kappelirakennusten huolellisesti suunniteltu uudistustyö valmistui 1984 sisustusarkkitehti Carin Bryggmanin ja arkkitehtitoimisto Laiho–Pulkkinen–Raunion johdolla.

192–194. Alvar Aallon vuonna 1958 valmistuneen Vuoksenniskan kirkon sisätilat ovat huipentuma monien Aallon suunnittelemien interiöörien joukossa. Vaikuttavat sisätilat ovat koko 1900-luvun arkkitehtuurissa vähissä, ja Vuoksenniskan kirkko on yksi koko nykyaikaisen kirkkorakennustaiteen pääteoksista. Rakennuksen tunnus, torni erottuu muotonsa, ei kokonsa vuoksi teollisuusseudun lukuisista savupiipuista. Rakennuksen ulkohahmo määräytyy osaksi paikasta: se on sijoitettu puunrunkojen lomaan alunperin tiheään männikköön. Vielä ratkaisevammin rakennuksen muoto kasvaa kuitenkin sisätiloista.

Nykyaikaisen seurakuntakeskuksen toimintatilat on liitetty varsinaisen kirkkotilan jatkeeksi siten, että ne voidaan erottaa työntöseinin. Näin syntyy kolmen toisiinsa liittyvän tilan sarja. Epäsymmetrinen tila ja kuperat seinät suorien vastakohtana palvelevat akustisia vaatimuksia. Samalla syntyy avara sisätila, joka joidenkin myöhäisbarokin interiöörien tapaan on kuin instrumentti päivänvalon alati vaihtuvia valaistuksia varten.

195–197. Reima ja Raili Pietilän Kalevan kirkko on tekijöidensä ja koko suomalaisen 1900-luvun jälkipuolen rakennustaiteen omaperäisimpiä ja tuoreimpia toteutuksia. Tehtävänä arkkitehtikilpailussa v. 1959 oli monumentaalisen kirkkorakennuksen suunnittelu Tampereelle Kalevan kaupunginosan keskellä olevalle mäelle. Reima ja Raili Pietilän voittanut ehdotus toteutettiin v. 1964–1966, tosin supistettuna. Paikalle syntyi kaupunginosaa hallitseva todellinen katedraali – sisätilan korkeus on noin 30 metriä (Turun Tuomiokirkossa noin 25 metriä). Seinien muoto perustuu samankaltaisen muotoalkion muunnelmiin: pohjaltaan suorista janoista syntyvistä kulmista on muodostettu kouruja, joita niiden väliin jätetyis-

Interior and natural light

187, 189. Erik Bryggman's burial chapel in Parainen is extremely simple in form and material. The walls are whitewashed plaster, the floors steel-brushed concrete; the only emphasized details are the marble portal, the copper-lined doors and the three Henningsen glass lamps. The building was completed in 1930 as Classicism was giving way to Functionalism. The stylistic status of the building is not crucial, however; what is important is the ageless serenity achieved through the harmony of proportion. It is a static space made dynamic by light.

190, 191. Erik Bryggman's magnum opus, the Chapel of the Resurrection in Turku, was completed ten years later (competition 1938, built in 1939–41). The interior is more ambiguous, asymmetrical and yet balanced. The space is centrally weighted, and yet its focal point is outside, in the landscape of eternity, where those attending a funeral service may fix their thoughts. A number of ornamental details lighten the whole but are subordinate to it. Outside, the monumentality of an ancient Greek sanctuary has been achieved through the placing of a few simple elements: a hall, a covered area and a tower. The same sort of archaic Classical approach was in the mind of Asplund and Lewerentz from the '20s on, and was realized in the Woodland Chapel in Stockholm; Aalto has repeatedly interpreted the same ideal in his architecture. An example is the significant but unrealized winning competition entry for the design of Malmi chapel in Helsinki (1950).

192–194. Vuoksenniska church by Alvar Aalto (1956–58) in a way epitomizes the many significant interiors of its designer. Truly impressive interiors are a rarity in 20th century architecture, and Vuoksenniska church must be regarded as a key work of the New Architecture among religious buildings. Its hallmark, the tower, is distinguished from the numerous chimneys of the industrial areas around not by its size but by its shape. The form of the building is to a large extent dictated by the site: it is placed among trees in a pine grove. However, the interior plays an even more important part in dictating the exterior form.

The modern parish centre is connected with the church but can be separated from it by sliding walls. A series of three different interconnected spaces is created. The asymmetrical space and convex walls as opposed to straight ones conform to acoustic demands. The interior thus created is spacious, and perhaps the most ambitious of Aalto's free plastic compositions; it is, like some late Baroque interiors, an instrument for the ever-changing play of daylight.

195–197. The Kaleva church by Reima and Raili Pietilä is one of the most original and remarkable buildings of its designers and indeed of late 20th Finnish architecture in general. The assignment in the competition in 1959 was a monumental church on a hill in the middle of the Kaleva district of Tampere. The winning entry by Reima and Raili Pietilä was built in 1964–1966, albeit in reduced form. However, a veritable cathedral dominating the cityscape was created – the height of the interior is about 30 m (as against 25 m in Turku Cathedral). The wall forms are based on variations of one formal nucleus:

tä pystyikkunoista tulviva valo elävöittää. Kourut on toteutettu betonista liukuvalumenetelmällä, ja ulkopuolelle on muurattu keltainen tiiliverhous. Eri puolilla salia olevien kourujen vastakohtaisuudesta syntyy jännite tähän samalla sekä yhtenäiseen että jatkuvasti muuntuvaan rakennukseen. Alttari-ikkunassa on Reima Pietilän sommittelema puuveistos.

Seurakuntakeskusten joukosta on 1960-luvulta lähtien löydettävissä monia merkitäviä uuden arkkitehtuurin esimerkkejä: niistä on järjestetty arkkitehtikilpailuja. Myös tilavaatimukset ovat sekä antaneet luontevan lähtökohdan elävien rakennusryhmien luomiseen että edellyttäneet keskitetyn sisätilan luomista.

198. Vuonna 1967 valmistunut Erkki Elomaan suunnittelema Järvenpään kirkko perustuu kilpailuehdotukseen v:lta 1963. Kuutiomaiset rakennukset nousevat kirkkomäen juurelta ja muodostavat kaupunkikuvassa ilmeikkään rakennusryhmän. Uudet rakennukset ottavat vanhemman vaatimattoman seurakuntatalon ystävällisesti mukaan kokonaisuuteen yhteisen porrastetun pihan varteen. Askeettiset materiaalit – puhtaaksivaletut betonipinnat ja sisätiloissa lisäksi luonnonvärinen puu – luovat taustan, jota vastaan tila ja valo korostuvat.

199–202. Juha Leiviskän suunnitelmissa yksinkertaisten rakennuskappaleiden rikas ryhmittely sitoutuu omalla tavallaan suomalaisen kansanrakentamisen perinteeseen. Samalla sommitteluperiaatteet ovat sukua esimerkiksi hollantilaisen De Stijl -ryhmän 1920-luvun arkkitehtuurille. Ehjien suljettujen muuripintojen ja avautuvien tilojen vuorovaikutuksesta syntyy Leiviskän rakennuksille luonteenomainen ilme, jota vastaa sisätilojen elävä, usein epäsuora sivu- tai ylävalo. Suojattuja sisätiloja yhdistävät toisiinsa lomittuvat aulatilat, joista avautuu näkymiä yhteisiin ulkotiloihin.

199. Oulun Puolivälikankaan kirkko, joka valmistui 1975 (kilpailuehdotus 1971) on tarkoitettu laajemman, esikaupunkialuetta kokoavan rakennustihentymän osaksi. Päivänvalon ja valkoisten pintojen hallitsemissa sisätiloissa Leiviskä on pyrkinyt 1700-luvun suomalaisten puukirkkojen kaltaiseen valoisaan optimismiin.

200–202. Myyrmäen kirkon ja seurakuntakeskuksen (kilpailu 1980, valmistuivat 1984) perusratkaisu on yksinkertainen: rakennusryhmä kääntää suojaavasti korkeaseinäisen selkäpuolensa rakennuspaikkaa sivuavan radan suuntaan, ja tilat avautuvat mahdollisimman laajana säästettyyn puistometsään. Pitkän kasvavan sisätilasarjan täyttää jatkuvasti muuttuva päivänvalo. Suunnittelija on pyrkinyt joidenkin eteläsaksalaisen myöhäisbarokin sisätilojen, esimerkiksi Neresheimin, kaltaisiin tilan ja valon modulaatioihin.

203. Käpy ja Simo Paavilaisen Olarin kirkko ja seurakuntakeskus, jotka valmistuivat 1981, perustuvat kilpailuehdotukseen v:lta 1976. Rakennukset, ilmeeltään tietoisen arkaaiset, kiertyvät kummun jalustaksi ja suojaavat ylemmällä tasolla olevaa pihapiiriä, jonne seurakuntatilat ja omaperäinen, pituussuunnassa taipuva kirkkosali sivuiltaan avautuvat.

204–206. Kristian Gullichsen on Kauniaisten kirkon (1979–1983) pääsuunnittelijana käyttänyt vapautuneesti vuosisatamme arkkitehtuurin ilmaisukeinoja ja punonut rakennukseen myös tietoisia ja tiedostamattomia viitteitä vanhempiin arkkitehtuuriperinteisiin.

troughs made up of angles between straight lines, punctuated by light shining through intervening high narrow windows. The troughs were executed in concrete using slip casting and yellow brick facing. The contrasts between the troughs on different sides of the church create tension in this harmonious, yet changeable, building. The altar window has a wooden sculpture designed by Reima Pietilä.

Many parish halls built since the 1960s are excellent examples of modern architecture: competitions have been held for their design, and the space requirements have provided a feasible starting point for creating living building groups, while also demanding a concentrated interior.

198. Järvenpää church, designed by Erkki Elomaa and completed in 1967, is based on a competition entry from 1963. The cubelike buildings rise from the foot of the church hill and form an expressive building group in the townscape. The new buildings contentedly incorporate the older, more modest parish hall around the terraced central courtyard. The background is formed of ascetic materials: fairface concrete and, in the interiors, naturally coloured wood. Space and light are emphasized.

199–202. In Juha Leiviskä's designs the varied groupings of simple building parts combine them with the tradition of Finnish folk building. The principles of composition are at the same time related to the Dutch De Stijl architecture of the '20s. The interaction between solid closed walls and opening spaces produces the characteristic expression of Leiviskä's houses, complemented by the living, often indirect, side or top lighting in the interiors. The sheltered interiors are connected by interweaving lobbies which open onto common outdoor spaces.

199. The Puolivälikangas church in Oulu, completed in 1975 (competition entry in 1971), is meant to be part of a building cluster acting as the focus of a large suburban residential area. The interiors, dominated by daylight and white surfaces, demonstrate Leiviskä's desire to emulate the light optimism of 18th century Finnish wooden churches.

200–202. The basic design of the Myyrmäki church and parish hall (competition in 1980, completed in 1984) is simple: the building group turns its high-walled back to the railway running next to the plot, and the rooms open onto a park-like wood, preserved in its original state as far as possible. The long, growing sequence of rooms is flooded with continuously shifting daylight. The designer has attempted to achieve modulations of space and light like those in southern German late Baroque interiors, such as Neresheim.

203. The Olari church and parish hall by Käpy and Simo Paavilainen, completed in 1981, are based on a competition entry from 1976. The consciously archaic buildings surround the pedestal-like knoll and shelter the courtyard situated higher up, onto which the parish hall and the striking, elongated and curved church open.

204–206. Kristian Gullichsen, main designer of the Kauniainen church (1979–1983), has here freely used the language of modern architecture, entwining it with conscious and unconscious allusions to older architectural traditions.

◁ 187, 189
Paraisten siunauskappeli. Erik Bryggman.
The burial chapel in Parainen. Erik Bryggman.

KRISTI, GUDS SONS
RENAR OSS FRÅN
JEESUKSEN
KRISTUKSEN JUMALAN
PUHDISTAA MEIDÄT

IHS

190, 191ab
Turun Ylösnousemuskappeli. Erik Bryggman.
The Chapel of the Resurrection, Turku. Erik Bryggman.

192▷, 193 ▷▷
Vuoksenniskan kirkko. Alvar Aalto.
Vuoksenniska church. Alvar Aalto.

194ab
Vuoksenniskan kirkko.
Alvar Aalto.

Vuoksenniska church.
Alvar Aalto.

195ab, 196–197▷▷
Kalevan kirkko, Tampere. Reima ja Raili Pietilä.

Kaleva church, Tampere. Reima and Raili Pietilä.

198ab
Järvenpään kirkko. Erkki Elomaa.
Järvenpää church. Erkki Elomaa.

199ab ▷
Pyhän Tuomaan kirkko. Puolivälikangas, Oulu. Juha Leiviskä.
The Church of St. Thomas, Puolivälikangas, Oulu. Juha Leiviskä.

200–201, 202 ▷
Myyrmäen kirkko ja seurakuntakeskus, Vantaa.
Juha Leiviskä.

The Church and parish centre of Myyrmäki, Vantaa.
Juha Leiviskä.

◁◁ 203ab
Olarin kirkko ja seurakuntakeskus, Espoo. Käpy ja Simo Paavilainen.
The Church and parish centre of Olari, Espoo. Käpy and Simo Paavilainen.

204, 205ab, 206 ▷
Kauniaisten kirkko. Kristian Gullichsen.
Kauniainen church. Kristian Gullichsen.

Tärkeimpiä mainittuja arkkitehteja ja muita suunnittelijoita
Index of architects and other designers

Kursiivilla painetut numerot viittaavat kuvasivuihin.
Italic numbers refer to pages containing illustrations.

Kuvalähteet/Sources of pictures

Kaikki värikuvat ovat Simo Ristan ottamia.
Piirustukset ja mustavalkoiset kuvat ovat, ellei muuta lähdettä ole mainittu, Suomen rakennustaiteen museon kokoelmista (SRM).
kuva s. 16: SRM/foto Simo Rista
kuva s. 22 ylhäällä: SRM/foto G. Welin
kuva s. 28: SRM/foto Simo Rista
kuva s. 34 oikealla: SRM/foto Roos
kuva s. 35 vasemmalla: SRM/foto H. Iffland
kuva s. 35 oikealla: SRM/foto Eino Mäkinen
piirustukset s. 11 ja s. 19 ylhäällä: Teknillisen korkeakoulun arkkitehtiosasto, arkkitehtuurin historian kuvakokoelmat
piirustus s. 91 vasemmalla: Juha Leiviskä
piirustus s. 110: Erkki Kairamo
piirustus s. 151 oikealla alhaalla: Kari Järvinen

All colour photographs are by Simo Rista
If no other source is mentioned, the drawings and black-and-white photographs are from the Museum of Finnish Architecture collection (SRM)
picture on page 16: SRM/photo Simo Rista
picture p. 22 top: SRM/photo G. Welin
picture p. 28: SRM/photo Simo Rista
picture p. 34 right: SRM/photo Roos
picture p. 35 left: SRM/photo H. Iffland
picture p. 35 right: SRM/photo Eino Mäkinen
drawings on page 11 and page 19 top: Helsinki University of Technology, Faculty of Architecture, History of Architecture collection
drawing, page 91 left: Juha Leiviskä
drawing, p. 110: Erkki Kairamo
drawing, p. 151 bottom right: Kari Järvinen

Kuvajohdanto lukuun 1, Suomalaisen ympäristön juuret

Sivu 1 (yläkuva). Harmaiden hirsitalojen yksinkertaisista selkeistä rakennuskappaleista syntyy vapaa ja elävä rakennusryhmä. Ilomantsin Mekrijärvi.

Sivu 1 (alakuva). Pohjalainen talo ja säännöllinen umpipiha. Punamulta, valkoiset nurkat ja pärekatto yleistyivät maaseudulla vasta vähän yli sata vuotta sitten.

Sivu 2-3 (taustakuva). Petäjäveden vanha kirkko ja Solikkosaari. Rakennus on yhtä ainetta, puuta, ja keskeistila on saatu aikaan lamasalvostekniikalla. Kirkon rakensi 1763-1964 Jaakko Leppänen vanhempi ja tapulin vuonna 1821 Erkki Leppänen.

Sivu 3 (yläkuva). Keuruun kirkko, sisäkuva. Puukirkon rakensi Antti Hakola 1756-1758. Rokokoo-kauden maalauksia.

Sivu 3 (alakuva). Sauvon keskiaikainen kivikirkko, sisäkuva. Rikas tähtiholvaus ja kalkkimaalaukset 1400-luvulta, aatelisvaakunoita 1600-luvulta.

Sivu 4-5 (taustakuva). Työväen asuintaloja, Fagerkulla Karkkilassa.

Sivu 6-7 (taustakuva). Fiskarsin, 1600-luvulla perustetun rautaruukin työväenasuntojen ns. Peltorivi. Taustalla navetta (1920).

Sivu 7 (yläkuva). Strömforsin 1700-1800-luvun rautaruukin työväenasuntoja Ruotsinpyhtäällä.

Sivu 7 (toiseksi ylimmäinen). Suur-Sarvilahti, suurvalta-ajan harvoja kartanolinnoja Suomessa, rakennettu pääasiassa 1672-76. Ranskalaistyyppinen puutarha istutettu 1930-luvulla.

Sivu 7 (toiseksi alimmainen). Kansainvälistä bastionijärjestelmää suomalaisen ulkosaariston luonnossa. Suomenlinna, historiallinen Viapori oli Ruotsin suurin 1700-luvun rakennustyö.

Sivu 7 (alakuva). Suomalaisen empire-kauden puukaupungin tyypillisen katutilan harvinaisen hyvin säilynyt esimerkki Porvoossa.

Sivu 8-9 (taustakuva). Siltavuori Helsingissä Pitkältä sillalta nähtynä.

Sivu 9 (yläkuva). Uusklassisuuden selkeät rakennuskappaleet ja laakeat katot Ehrenströmin ja Engelin Helsingissä. Vanha kirkko (C. L. Engel 1826) ja Sederholmin kappelin vieressä oleva muistomerkki (J.A. Ehrenström).

Sivu 9 (toiseksi ylimmäinen). Autonomisen Suomen uuden pääkaupungin keskuksesta tuli maan merkittävin aukiosommitelma, Helsingin Senaatintori. Taustalla yliopiston päärakennus, C.L. Engel 1828-1832.

Sivu 9 (toiseksi alimmainen). Tampereen koskikeskus on teollisuustyön tärkein monumentti Suomessa. Punatiili sitoo yhteen rakennukset 150 vuoden ajalta.

Sivu 9 (alakuva). Tiiviisti rakennetun kivikaupungin Suomessa harvinaista loistoa: Helsingin niemi pääpaloaseman tornista nähtynä.

Pictorial introduction to chapter 1, Origins of the Finnish environment

Page 1 (top). The simple, clear-cut grey log houses form a free and dynamic complex. Mekrijärvi in Ilomantsi.

Page 1 (bottom). The Ostrobothnian house with its regular enclosed courtyard. Red ochre, white corners and shingle roofs became popular in the country only about a century ago.

Page 2-3 (background). The old church of Petäjävesi and Solikkosaari island. The building is all in one material - wood - and the centrally planned space is achieved using the ancient interlocking log construction. The church was built in 1763-64 by Jaakko Leppänen the elder; the bell tower is by Erkki Leppänen (1821).

Page 3 (top). Keuruu church, interior. This wooden church was built by Antti Hakola in 1756-58. Rococo paintings.

Page 3 (bottom). The medieval stone church in Sauvo, interior. Rich 15th century star-ribbed vaulting and wall paintings, 17th century arms of noble families.

Page 4-5 (background). Workers' dwellings of Fagerkulla, Karkkila.

Page 6-7 (background). The row (Peltorivi, 'Field Row') of worker's houses at Fiskars, an ironworks founded in the 17th century. In the background, a cowshed from 1920.

Page 7 (top). Workers' houses at the Strömfors ironworks (18th-19th century) in Ruotsinpyhtää.

Page 7 (second). Suur-Sarvilahti, one of the few big manor-castles built during Swedish rule, primarily in 1672-76. The French-style garden was planted in the 1930s.

Page 7 (third). An example of international fortress building in the Finnish archipelago. Suomenlinna, formerly Viapori or Sveaborg, was Sweden's most ambitious construction project in the 18th century.

Page 7 (bottom). A remarkably well-preserved example of a typical street in a Finnish wooden town of the Empire period: Porvoo.

Page 8-9 (background). Siltavuori in Helsinki, viewed from Pitkäsilta ('Long Bridge').

Page 9 (top). Clear-cut building masses and gently sloping roofs in the Helsinki of Ehrenström and Engel. The Old Church (C.L. Engel 1826) and the monument (J.A. Ehrenström) next to the Sederholm chapel.

Page 9 (second). The centre of the new capital of autonomous Finland became the most imposing square in the land: Senate square in Helsinki. In the background, the main building of the University (C.L. Engel 1828-32).

Page 9 (third). The centre of Tampere is the most important monument to industrial building in Finland. Red brick ties together 150 years of construction.

Page 9 (bottom). The fine sight of a dense stone-built city, rare in Finland: a view of Helsinki from the tower of the main fire station.

Suomalainen rakennustaide
Modern Architecture in Finland

4. painos/edition

Valokuvat
Photographs Simo Rista

Teksti, sisällön suunnittelu
Text, contents planning Vilhelm Helander

Ulkoasu
Lay-out Tapio Vapaasalo

Englanninkielinen käännös
English translation The English Centre

ISBN 951-26-2656-x

Algraphics Oy/Tamprint, 1995

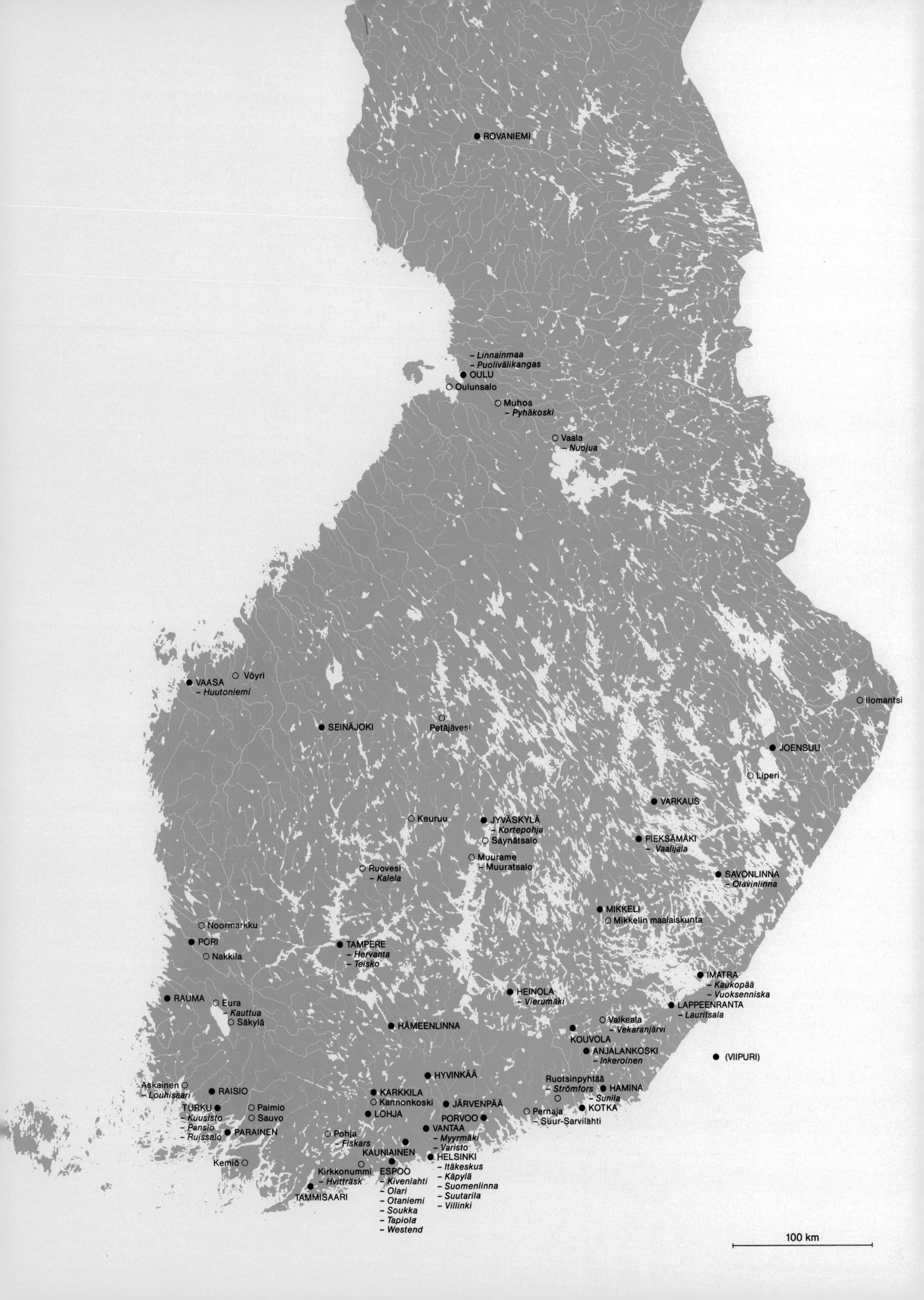
ROVANIEMI
– Linnainmaa
– Puolivälikangas
OULU
Oulunsalo
Muhos
– Pyhäkoski
Vaala
– Nuojua
VAASA
– Huutoniemi
Vöyri
Ilomantsi
SEINÄJOKI
Petäjävesi
JOENSUU
Liperi
VARKAUS
Keuruu
JYVÄSKYLÄ
– Kortepohja
Säynätsalo
PIEKSÄMÄKI
– Vaalijala
Muurame
– Muuratsalo
Ruovesi
– Kalela
SAVONLINNA
– Olavinlinna
MIKKELI
Mikkelin maalaiskunta
Noormarkku
PORI
Nakkila
TAMPERE
– Hervanta
– Teisko
IMATRA
– Kaukopää
– Vuoksenniska
HEINOLA
– Vierumäki
LAPPEENRANTA
– Lauritsala
RAUMA
Eura
– Kauttua
Säkylä
Valkeala
– Vekaranjärvi
HÄMEENLINNA
KOUVOLA
ANJALANKOSKI
– Inkeroinen
(VIIPURI)
HYVINKÄÄ
Askainen
– Louhisaari
RAISIO
Ruotsinpyhtää
– Strömfors
HAMINA
– Sunila
KARKKILA
Kannonkoski
JÄRVENPÄÄ
TURKU
– Kuusisto
– Pansio
– Ruissalo
Paimio
Sauvo
PARAINEN
LOHJA
PORVOO
Pernaja
– Suur-Sarvilahti
KOTKA
VANTAA
– Myyrmäki
– Varisto
Pohja
– Fiskars
KAUNIAINEN
HELSINKI
– Itäkeskus
– Käpylä
– Suomenlinna
– Suutarila
– Villinki
Kemiö
Kirkkonummi
– Hvitträsk
ESPOO
– Kivenlahti
– Olari
– Otaniemi
– Soukka
– Tapiola
– Westend
TAMMISAARI
100 km